God is Love

다윗 대통령
A person after His Heart

최광식 저

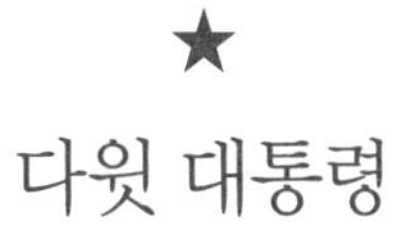
다윗 대통령

★ 추천의 글

다윗의 성실함, 낙관적 태도, 정적에 대한 용서, 하나님을 사랑하는 마음 등의 훌륭한 성품 위에 뛰어난 위기극복 능력, 남북통일의 위업 달성, 국민화합의 정치를 통한 지역주의 극복, 초강대국으로의 진입 등 그의 위대한 업적은 바로 우리가 사는 한국 땅에 꼭 필요한 것들이다. 이 책을 읽으면서 "하나님 우리에게도 다윗과 같은 대통령을!" 라는 기도가 절로 나왔다.

–김장환 목사, 극동방송사장

다윗의 쫓기는 삶 가운데 얻은 재산은 한마디로 표현한다면 "현실에 뿌리박은 영성"이라고 할 수 있다. 그러나 국가수반으로서의 정치를 하는 동안에 그에게 필요했던 것은 "영성에 뿌리박은 현실"이었다. 우리에게 이 두 가지가 너무나도 절실하게 필요하다. 이 책은 그 두 가지를 얻는 비결을 알려주고 있다.

–이동원 목사, 지구촌교회

대통령학의 교과서다. 대한민국을 사랑하는 사람이라면 누구나 한 번 이 책을 읽어보길 추천한다. 사람들을 용서하고 포용하는 것과 순수한 동기의 중요성을 배울 수 있고, 자기 자신과 공동체, 그리고 국가를 위한 지도력을 키울 수 있으며, 하나님께 향하는 것이 무엇인지 깨달을 수 있다.

–이효계 총장, 숭실대학교

리더십은 자기 안에서부터 시작한다는 진리를 너무나 잘 보여주고 있다. 직업인으로서의 다윗에 대해 다루는 보기 드문 책으로써, 성공적 인생을 원한다면, 대통령이 되고 싶다면, 훌륭한 대통령을 갖기를 원하는 국민이라면, 이 책은 당신에게 너무나 적합한 책이다. 리더십의 원리를 원천적으로 다시 생각하게 한다.

–유진소 목사, LA 온누리교회

다윗의 삶을 통하여 정치의 도를 재미있게 묘사하였다. 이 책을 읽으면서 계속하여 내 마음의 한가운데 "다윗이 위대한 정치가가 되었던 것은 그의 신실함 때문이었다"라는 말이 자리 잡게 되었다. 국가조찬기도회장으로서 나라와 대통령, 그리고 모든 위정자들을 위해 기도하지 않을 수 없다. 이 책이 나온 것은 매우 시기적절하며 한국사회를 향하신 분명한 하나님의 인도하심을 발견한다. 이 책을 통하여 좌로나 우로 치우치지 아니하는 올바른 방향으로 나아갈 수 있는 예수님 닮은 목자형 지도자들을 많이 배출 할 수 있기를 소원한다.

–정근모 박사, 명지대학교 총장, 국가조찬기도회장

★ 명사들의 다윗 찬사

주변 모든 사람이 다윗의 잠재력을 모두 부인했지만, 그는 인간관계의 한계, 지도력의 한계, 능력의 한계를 뛰어넘었다.

–존 맥스웰(John Maxwell) 목사

시인이요, 음악가요, 용맹스런 전사요, 민족적 정치 지도자였던 다윗은 하나님의 위대한 사람들 중의 한 사람으로서 두드러졌다. 전쟁터에서 다윗은 불굴의 확신을 가진 용사의 모본이었다. 결정을 내리는데 있어서 그는 지혜와 공정함으로 판단했다. 외로울 때 그는 투명한 솔직함과 잠잠한 신뢰의 글을 썼다. 친구로서 끝까지 충실했다. 겸허한 목동이었을 때도, 사울 왕 앞에 섰던 무명의 음악가였을 때도, 그는 늘 충성되고 신실하였다. 심지어 그가 그 나라에서 가장 높은 지위로 올라간 후에도 성실함과 겸손함의 모본을 보여 주었다. 얼마나 놀라운 하나님의 사람인가!

–찰스(척) 스윈돌(Charles R. Swindoll), 전 달라스 신학교 총장

일곱 단어밖에 되지 않는 짧은 구절이지만 물건에 찍는 뜨거운 철 도장처럼 나의 삶에 이 단어들이 새겨졌다. "다윗은 그의 세대에 하나님의 목적을 위해 섬겼다."(행 13:36) 이제 나는 왜 하나님이 다윗을 "내 마음에 합한 사람"이라고 부르셨는지 이해할 수 있다. 다윗이 이 땅에서 하나님의 목적을 이루는데 자신의 삶을 바쳤기 때문이다.

–릭 워렌(Rick Warren), 새들백교회 담임목사

내 마음에 첫 번째로 다가오는 지도자는 바로 다윗 왕이다. 내가 그를 가장 좋아하는 지도자 중의 한 사람으로 여기는 이유는 그의 낙관적 자세 때문이다.

"나를 다윗과 같이 만들어 주시옵소서. 그러면 나는 희망을 주는 지도자가 될 수 있을 것입니다. 저로 하여금 다른 사람들을 믿음에 기초한 낙관적 자세로 끌어올릴 수 있도록 도와주십시오. 바로 지금 다윗의 적극적인 마음이 나뿐만 아니라 사람들에게 필요합니다."

–빌 하이벨스(Bill Hybels), 윌로우크릭교회 담임목사

★ 프 롤 로 그 (Prologue)

여기 다윗이라는 대통령이 있다. 그가 대통령이 되기까지의 이력서는 다음과 같다.

· 출생 : 이새의 아들들 8형제 중 막내로 태어나다.
· 첫 번째 직업 : 스무 살까지 목동으로서 양무리를 치며 자라다.
· 전공 : 축산업
· 부전공 : 작시, 하프연주, 노래
· 특기 : 물매돌 던지기(저격병 솜씨), 곰, 사자와 싸우기
· 두 번째 직업 : 사울 왕의 음악치료사(musical therapist)로 취직하다.
· 정치데뷔 : 스무 살 때 골리앗과의 결투를 통하여 국민스타로 등장 하다.
· 세 번째 직업 : 군대 장교
· 정치 환난 경험 : 사울 왕이 죽이려고 들지만, 비폭력 시위운동을 전개하다.
· 네 번째 직업 : 내적치유(inner healing)센터 원장 및 군사훈련전문가

사울 왕이 죽으면서 10여 년의 정치망명 생활을 접고 고향에 돌아오자, 다윗은 남이스라엘의 국민들로부터 대통령으로 추대되었다. 그는 30살에 대통령이 되어 70세까지 장기집권을 하게 되었다. 처음 7년은 남북분단의 시기이기도 했다. 다윗이 국가의 수반이 되면서 이스라엘은 군사적으로뿐만 아니라 경제적으로도 고도의 성장을 구가한다. 그의 업적은 다음과 같다.

다윗의 업적

· 남북통일을 이룩하다.
· 다윗병법으로 백전백승을 거두다.
· 예루살렘을 통일 이스라엘의 수도로 정하다.
· 국민통합정치를 통하여 지역주의를 잠재우다.
· 제국으로 일컬을 만큼 초강대국으로 발전시키다.
· 민생 안정을 이룩하다.
· 현대 정보기관 설립의 아이디어를 제공하다.
· 국가 경영의 원칙을 후대에 물려주다.

그러나 그에게 늘 성공이 따라왔던 것은 아니었다. 잘못 판단한 경우도 있었고, 타락의 구렁텅이에도 빠졌었고, 정책 결정의 시기를 놓쳐 어려움도 당했고, 자만하여져서 온 국민을 고통에 시달리게 한 적도 있다. 다윗의 최대 장점은 본인이 잘못한 것을 깨닫게 되면 즉시 회개하였다는 것이다. 그리고 그의 삶의 여정을 통하여 이룩해 놓은 최대의 업적이 있다. 그것은 바로 한 나라의 대통령으로서 어떤 자세로 국가와 국민을 위해 봉사해야 하는가를 알려주는 "CEO대통령의 리더십 원리"이었다.

다윗의 성품과 리더십은 세계 모든 대통령의 모델이 되고 있다. 지금까지 전세계적으로 다윗을 가장 빼어 닮은 대통령은 링컨이다. 링컨은 다윗을 따라서 하나님의 마음을 좇았고, 기도로써 국사를 하나님께 맡겼고, 목자와 같은 심정으로 국민들을 위해서 일했다. 링컨이 다윗의 어떤 부분을 닮았는지 자세히 비교해 보기 바란다. 무엇이 다윗을 위대한 대통령으로 만들었는지 대한민국 국민이라면, 자기 안의 리더십을 개발하기 원한다면, 성공적인 인생을 가꾸기 원한다면 다윗의 삶과 리더십을 반드시 공부해야 할 것이다.

2005년 3월 1일

최광식

★contents

David one!

국민 영웅으로 떠오르다

"아니! 이럴 수가!,
도~저히 믿을 수가 없어!"

이스라엘의 첫 번째 왕 사울(Saul)은 눈을 비비고 다시 보았다. 역시 다윗(David)이 쓰러져 있는 것이 아니라 거인 골리앗(Goliath)이 쓰러져 있지를 않는가? 사울은 너무나 기가 막힌 일을 보며 눈은 휘둥그래지고 입은 떡 벌어진 채 멍하니 서 있었다. 사울은 간신히 정신 차리고 나서야 용감무쌍한 다윗을 보며 신하에게 묻는다.

"저, 아이가 누구의 아들이냐?"
"베들레헴 사람, 임금님의 종 이새(Jesse)의 아들입니다."

사울은 그제서야 상상을 초월한 기적 같은 일을 해낸, 자기의 전용 악사였던 다윗의 가문이 궁금해졌다. 비록 자기를 위해 음악을 연주한 다윗을 보았지만, 그때는 다윗에게 전혀 관심이 없었던 사울이었다.

골리앗을 무찌른 다윗의 이야기는 너무나 잘 알려져 있는 이야기다. 당신은 이것을 기적이라고 믿는가? 그렇지 않다면 무엇 때문이라고 생각하는가? 혹시 하나님이 "미사일 컨트롤러(Missile Controller)"라고 생각해 보지는 않았는지 모르겠다. 일단 다윗은 눈 딱 감고 물매돌을 던졌는데 나가는 방향을 하나님이 조정하여 미사일 쏘듯이 목표물을 따라가게 하여 정확히 맞추셨다고 말이다. 마치 홍해를 가르신 하나님처럼 골리앗도 그렇게 죽인 것이기 때문에… 이건 인간이 할 수 있었던 영역은 하나도 없었고, 철저히 하나님께서 죽이신 것이라고만 믿어왔다.

마음을 잃지 말아라

과연 그럴까? 그렇다면 다윗은 하나님의 프로그램에 의해 움직인 로봇(Robot)에 불과했을까? 물론 하나님이 함께 하신 것에 대한 의문은 없지만 다윗이 담당한 몫이 있다. 그의 직업은 양치기였다. 다윗은 자기를 소개하면서 자신의 직업을 양치기였다고 하였다.

"저는 아버지의 양 떼를 지켜 왔습니다. 사자나 곰이 양떼에 달려들어 한 마리라도 물어 가면, 저는 곧바로 뒤쫓아 가서 그 놈을 쳐 죽이고, 그 입에서 양을 꺼내어 살려 내곤 하였습니다. 그 짐승이 저에게 덤벼들면, 그 턱수염을 붙잡고 때려 죽였습니다."(삼상 17:34~35)

사울은 다윗의 표범 같은 눈빛을 보았다. 그의 몸은 짐승들과 싸운 흔적이 여기 저기 남아 있었다. 송곳으로 찔러도 들어가지 않을 딴딴한 근육질의 팔뚝도 보았을 것이다. 마치 유도, 태권도, 복싱 등의 종합 투기종목 챔피언의 인상 그 자체이다. 다윗은 이미 준비되어 있었던 자였다. 사자, 곰과의 싸움에서 날렵하고 민첩한 몸을 만들었고, 담력을 키워왔던 것이다. 어디 그것뿐인가? 그의 지도자 자질은 다음의 말에서 확인할 수 있다.

"누구든지 이 블레셋(Philistine) 사람 때문에 사기를 잃어서는 안됩니다. 당신의 종이 나가 싸우겠습니다.(Let no one lose heart on account of this Philistine; your servant will go and fight him. (NIV))"(삼상 17:32)

영어성경을 보면 heart(마음)를 잃어서는 안 된다고 말하고 있다. 즉, 사기를 잃는다는 것은 마음을 잃는 것을 의미함과 동시에 마음에서부터 진다는 것이다. 사울은 이미 마음에서 지고 있었다. 그는 무서워 벌벌 떨고 있었고, 그의 장병들 역시 싸우기도 전에 사기는 땅에 떨어져 있었다. 사울 왕이 이 말을 해야 했었다. 적어도 지도자라면 말이다. 군대의 최고 통수권자로서의 위엄과 상징은 사라져버렸다. 위의 다윗의 말에서 우리는 다윗의 자기 민족에 대한 사랑과 자기 목숨도 아끼지 아니하는 마음을 읽을 수 있다. 다윗의 최대 강점은 마음을 잃지 않는 것이었다. 두려워하지 않는 마음, 자기보다 먼저 자기 국민의 사기를 생각하는 마음, 바로 그것이었다.

지도자로서 중요한 자질 중의 하나가 바로 용기이다. 자기를 따르는 사람들에게 어려운 환경을 타개할 수 있도록 사람들을 격려하고 용기를 불어 넣어주며, 낙망 가운데 빠지지 않게 하며, 앞으로 전진하게 하는 능력, 그것은 바로 마음에서 온다는 것이다. 그래서 다윗은 자기 국민들이 마음을 잃어서는 안 된다고 소리친다. 아마 한국 역사에서 다윗과 견줄 수 있는 사람은 이순신 장군일 것이다. 우리에게는 배가 아직 12척이 남아 있다는 것, 그것으로 결국 승리를 일구어 내지 않았는가? 군사적인 부분이 아닌 경제적 분야도 마찬가지이다. 국가 경제가 아무리 어려워도 몸은 살아있다는 용기, 그것이 필요한 시대이다. 절대로 마음을 잃어서는 안 된다.

틀에 박힌 방식을 벗어 던져라

또 한 가지 우리의 상상을 초월하는 교훈은 다윗과 골리앗의 결투 속에 숨어 있다. 당신은 무엇이라 생각하는가? 다윗이 골리앗과 싸우겠다고 할 때 사울은 자기가 입었던 갑옷을 벗어 다윗에게 주었다. 다윗이 그것을 받아 입어보니 너무 무거웠고, 자기 몸에 익숙하지 않아 오히려 움직이는데 더 힘들었다. 다윗은 갑옷을 벗어 던지며 이런 복장으로는 걸어갈 수도 없다고 말하면서, 시냇가에 가서 돌 다섯 개를 골라 주머니에 넣고, 무릿매를 손에 들고 골리앗에게 가까이 갔다. 여기서 무릿매란 돌을 던질 수 있도록 가죽이나 천 조각에 끈이 달려 있는 구조로 된 공격용 무기로써 물매라고도 한다. 무릿매에 넣고 돌리는 돌을 물매돌이라고 하며, 크기는 성인들의 주먹만 한 정도이다. 다윗은 양떼를 사자로부터 보호하기 위해 무릿매를 이용해 왔었다. 아마 보통 사람 같았으면 갑옷을 입어야 한다는 틀에 박힌 사고 때문에 갑옷이 없으면 결투에 나가지 못하거나 비록 나가더라도 죽을 것은 뻔하다고 생각했을 것이다.

하지만 다윗은 자기의 강점을 활용하기로 결정했고, 원운동의 과학을 이용했다. 일정한 속도로 일정한 원을 그려 돌리다가 놓는 순간 목표물을 향해 날아가게 되어 있다. 이때 파괴력은 충격에너지로 돌의 무게와 속도의 제곱에 비례한다. 그리고 날아가는 속도는 시간당 회전수와 원의 반지름에 비례한다. 무릿매 줄과 다윗의 팔의 길이를 합친 길이가 반지름이라고 한다면, 그 값이 총 3미터이고 1초에 2~3회 속도로 돌리다가 그것을 놓는 다면, 그 순간에 날아가는 속도는 고등학교 물리 시간에 배운 원운동 공식에 의해서 2(3.14)(회전수)(반지름) = 36~54m/s가 된다. 이것은 시속 130~196km에 해당한다. 주먹 크기만 한 돌의 무게와 목표물에 대한 정확도만 있으면 한방에 죽을 수 있는 파괴력이다. 여기서 우리가 의심되는 것은 '이것이 과연 얼마나 정확하겠느냐' 는 의문을 던지지 않을 수 없다. 이 정확도라는 말에서 하나님이 이때부터 미사일 컨트롤러가 되기 시작한다는 소설이 등장하게 된다. 그러나 정확히 맞힐 수 있었다는 증거를 사사기 20장 16절에서 찾아 볼 수 있다.

"이 모든 사람 가운데서 뽑힌 700명 왼손잡이들은, 무릿매로 돌을 던져 머리카락도 빗나가지 않고 맞히는 사람들이었다."

다윗은 요즘 말로 하면 잘 훈련된 저격수였고, 그의 헌신과 용기가 그의 미션을 가능케 했다. 다윗 이전에도 정예의 무릿매 군단이 있었고, 또 나중에 다윗이 왕이 된 뒤에도 군대 내에 아예 무릿매 부대가 있을 정도였다(대상 12:2).

"이들은 좌우 양손으로 무릿매 돌도 던질 줄 알며 화살도 쏠 줄 아는 사람들로서…"

패러다임 깨기는 우리가 사는 생활에 늘 필요한 부분이다. 난관을 뚫고 나가거나, 뭔가 현재의 일에 지지부진하고 생산력도 떨어지고, 그저 어제 했으니 오늘도 당연히 그런가 보다 하며 아무런 생각 없이 받아드리고 체질화되는 것이 너무나도 많다. 현재 안되고 있는 이유를 자기 안에서 찾지 않고 환경만 탓하고 있는 경우가 많다. 환경은 내가 바꿀 수 없지만, 지금까지의 내 방식은 바꿀 수 있는 것이다. 그러나 사람들이 보통 변화에 대한 두려움 때문에 바꾸지 못한다. 어차피 양쪽에 두려움은 존재한다. 그것이 환경에 대한 두려움이냐, 아니면 자기 자신에 대한 두려움이냐가 다를 뿐이다. 기존의 방법으로 승리를 장담 못할 경우 과감히 그 틀을 깨야 한다.

지난 16대 대통령 선거전에서 노무현 후보가 승리할 수 있었던 근본적 원인은 바로 틀 깨기였다. 그 때까지 정석으로 알려졌던 아날로그, 중앙조직, 막대한 선거자금 등의 전통적 방법 대신에 디지털, 점조직, 자원봉사 등의 새로운 틀을 창조하였다. 사실 기존의 틀을 유리창 깨듯 부셔야 하는데 거기에도 역시 두려움이 따른다. 틀을 바꾸는 것이 결코 쉽지 않지만, 다윗이 투구와 갑옷과 칼을 집어 던지듯이 현존의 방식을 던져버릴 줄 아는 용기도 필요한 것이다. 그러므로 역시 용기 있는 자만이 틀을 깰 수 있다.

상대방의 예상을 초월하라

"우~ 하하하! 이스라엘에 이렇게 용사가 없단 말이냐?
부지깽이를 들고 나오는 이런 녀석밖에 없단 말이냐?
내가 너의 살점을 공중의 새와 들짐승의 밥으로 만들어 주마."

골리앗이 무장해제한 채 나오는 다윗을 보고 비웃으며 이렇게 말한 것이다. 강한 자의 오만 그 자체였다. 오만은 상대를 너무 쉽게 보게 되고 기존의 방식을 고수하려고 한다. 자기가 무엇이 부족한지 돌아보지 않는다.

다윗은 명중률이 아주 높은 무릿매 선수였다. 드디어 결전의 순간이 다가왔을 때, 골리앗은 막대기와 무릿매를 들고 나온 다윗을 보며 가소롭기 짝이 없었다. 만약에 다윗도 기존의 방식대로 갑옷과 단창으로 승부했다면 결과는 뻔한 것이다. 골리앗은 곰과 다를 바가 없었다. 육중한 몸매, 3m에 가까운 큰 키에 60kg에 가까운 갑옷으로 인해 칼과 창에 대한 방어력은 누구도 뚫지 못할 정도였겠지만, 움직이는데 느려터진 골리앗이었다. 오늘날의 권총과 같은 무릿매의 속도로 보면, 일대일 전투에서 다윗이 훨씬 유리했던 것이다. 골리앗의 허점을 파고드는 전술이 다윗에게 승리를 가져다주었다. 이러한 다윗의 전술 능력은 후에 가나안 민족 중의 하나였던 여부스(Jebus) 사람들이 살았던, 요새와 같은 예루살렘 공격에서도 여실히 증명된다(삼하 5:6~9). 다윗의 승리 비결은 힘이나 기교보다 담대한 용기와 지혜, 그리고 속도전에 있었다.

상대방의 예상을 초월하는 전략과 전술은 너무나 중요한 것이다. 그 당시에는 칼이나 창으로만 사람을 죽이고 결투에서 이길 수 있다고 생각했다. 또한 결투에서 이기려면 어떤 창칼 공격이 들어와도 방탄복 같은 갑옷이 필요하다고 여겨왔다. 이러한 고정관념을 깨뜨리는 지혜, 속도전 승부 방식은 오늘날에도 반드시 필요한 항목이다.

지금은 인터넷과 휴대폰이 세상을 지배하고 있다. 이것들의 특징은 바로 속도라는 것이다. 이제 거리의 제한이 사라진지 오래다. 모든 전쟁 역사를 보면 속도의 개발을 누가 먼저 하느냐 하는 것이었다. 대통령 선거나 국회의원 선거도 역시 마찬가지로 누가 먼저 빠른 속도로 국민들에게 파고드느냐 하는 것이다. 이제는 속도전과 다른 어떤 것이 병합되어야 한다. 속도와 함께 친근감이다. 그 이유는 무엇인가? 자신을 드러내어 상대방의 호기심도 충족시켜주면서 관계성을 친밀하게 만들어 주는 온라인(on-line) 공간이 가능케 된다. 그리고 휴대전화는 어떤가? 쉽고 빠른 커뮤니케이션의 대명사로 자리 잡아 나가고 있다.

전인교육으로 잠재력을 키워라

물매돌이 골리앗의 이마를 맞추는 순간, 골리앗은 고목나무 넘어지듯 순식간에 쓰러졌다. 다윗은 잽싸게 달려가 골리앗의 칼집에서 칼을 빼어 들어 그의 목을 잘랐다. 그리곤 칼을 높이 치켜들고 승리의 고성을 외쳤다. 그 순간 모든 군인들이 사기충천하여 "와 아아~" 함성을 지르며 블레셋 군대를 무찔렀다. 다윗의 승리는 우연히 된 것이 결코 아니었다. 그는 양들을 야생 짐승들로부터 보호하면서, 얼마나 많이 물매돌 던지는 연습과 실전이 있었겠는가? 준비된 자만이 쓰임 받는 순간이었다. 한편, 이전에 그를 지켜본 주변 사람들의 평은 어땠는지 알아보자.

"그는 수금을 잘 탈 뿐만 아니라, 용사이며, 용감한 군인이며, 말도 잘하고, 외모도 좋은 사람인데다가, 주님께서 그와 함께 계십니다."

요즘 얘기로 말하면 일등 신랑감이 아닐 수 없다. 전인교육이 이루어진 사람이다. 다윗이 다닌 학교 이름은 "광야학교"였다. 들과 산을 다니며 양을 치면서 그는 인생을 배웠다. 양을 보호하고 관리하는 법을 배웠다. 짐승들과 맞서면서 체력을 길렀고 야성이 강한 남자가 되었다. 또한 시를 읊고 수금을 타는 낭만의 사나이였다. 광야에서 양들을 앞에 세워놓고 웅변 연습을 많이 했는지 언변도 능했다. 혼자 양무리를 치면서 인간의 목자 되시는 하나님을 많이 묵상했다. 그가 지은 유명한 시가 있다. 제목은 '나의 목자' 인데, 그는 이 시를 지으면서 본인의 양들에 대한 목자로서의 결심이기도 하다(시 23편).

주님은 나의
목자시니 내게 부족함이 없어라.
나를 푸른 풀밭에 누이시며,
쉴만한 물가로 인도하시네.
나에게 다시 새 힘을 주시고,
당신의 이름을 위하여
바른 길로 나를 인도하시네.

내가 비록
죽음의 그늘 골짜기로 다닐지라도,
주님께서 나와 함께 계시고,
주님의 막대기와 지팡이로
나를 보살펴 주시니,
내게는 두려움이 없겠네.

게다가 다윗은 대장부 기질도 있어서 쉽게 포기하지 않고 끈질긴 승부사의 기질을 가지고 있는 사람이었다. 한 마디로 지성, 야성,

감성, 덕성과 체력과 영성을 겸비한 인물이었다. 무엇보다도 주님이 함께 하신다는 대목에 있어서는 정말로 부럽기 그지없는 훌륭한 젊은이였다.

다윗의 첫 번째 직업은 목자(혹은 목동)였다. 그러다가 한 가지 직업을 더 갖게 되었는데, 사울 왕을 위한 악사가 되는 것이었다. 좋게 말하면 궁중 악사가 되어서 사울 왕의 엔터테이너 역할을 하였다. 그 당시 사울은 가끔 정신적으로 실성하는 병에 걸려 있었다. 신하들이 사울을 치료하는데 음악 치료(music therapy)가 효험있다는 소리를 듣고, 수금을 잘 키는 자를 수소문하여 다윗을 궁중악사로 추천을 하게 된 것이 사울과 다윗간의 첫 인연이었다. 다윗의 악기 연주가 너무나 훌륭하고 신령한 파워가 있어 사울은 다윗을 자기의 시중드는 사람으로 썼다. 이때까지도 다윗의 용사로서의 능력을 보지 못했던 사울이었다. 음악만 잘 하는 줄 알았는데 싸움도 잘하는 다윗을 보니 어찌 놀라지 않을 수 있었겠는가?

각 나라마다 인재를 어떻게 양성할 것인가에 대한 교육정책이 있다. 미국의 대학입시 제도를 보면 아주 흥미롭다. 대학마다 조금씩 차이가 있지만 학습 성적만이 명문대학 진학조건이 되지 못한다는 것이다. 지원서를 쓸 때 반드시 제출해야 하는 서류가 있는데, 우리나라의 수능고사에 해당하는 SAT, 고등학교 성적표 이외에도 반드시 요구하는 것이 밴드나 미식축구 등 교내 과외활동, 교외 사회봉사활동, 그리고 인생을 어떻게 살고 전공을 통해 어떻게 공헌할 것인가에 대한 개인 에세이 등을 제출해야 한다. 수능고사 만점만으로는 명문대 진학을 보장 받지 못한다. 지원자의 전인 교육도를 측정하여 신입생을 선발한다. 과외활동이나 사회봉사활동도 꾸준하지 않으면 인정을 하지 않는다.

공부제일주의, 성적제일주의, 출세제일주의로는 나라가 필요한 인재를 얻을 수 없다. 교육정책의 방향은 언제나 전인교육을 향하도록 해야 할 것이다. 다윗과 골리앗의 싸움은 전인교육이 국가의 위기 시에 얼마나 중요한 것인가를 깨닫게 한다. 국가가 당신을 필요로 하고 있다는 소리에 몸 사리지 않고 앞으로 나아오는 청년들이 많을수록 그 나라의 장래는 밝은 것이다.

remember 01

마음을 잃지 말아라

틀에 박힌 방식을 벗어 던져라

상대방의 예상을 초월하라

전인교육으로 잡재력을 키워라

골리앗을 무찌르는 계기로 다윗은 양치기에서 스무 살의 젊은 나이에 국민 영웅으로 다시 태어났다. 사울은 다윗을 장군으로 임명

했다. 그야말로 스타 탄생, 그 자체였다. 어디 그뿐인가? 다윗은 사울 왕과 식탁을 함께 하는 특권까지 누리게 되는 최 측근 중의 한 사람이 되었다. 왕의 아들을 인생의 가장 친한 친구로 갖게 되었고 권력의 맛을 만끽하던 다윗이었다. 다윗의 대중 인기도는 계속하여 상종가를 치닫고 있었다. 사울의 인기를 능가할 정도였다. 다윗의 이러한 인기는 결국 사울의 귀에도 들리게 되었다. 이렇게 화려하게 정치 무대에 데뷔했는데, 과연 얼마나 오래갈까?

사울이 자기보다 인기 많은 다윗을 포용할까, 아니면 적대시 할까? 세상은 그리 간단하지 않다는 것을 경험하는 다윗의 인생, 그것이 궁금하다.

★

★

"또 주님께서는 칼이나 창 따위를 쓰셔서 구원하시는 것이
아니라는 것을, 여기에 모인 이 온 무리가 알게 하겠다.
전쟁에서 이기고 지는 것은 주님께 달린 것이다. 주님께서 너희를
모조리 우리 손에 넘겨 주실 것이다."(삼상 17:47)

"All those gathered here will know that it is not by sword or spear that the LORD saves; or the battle is the LORD' S, and he will give all of you into our hands." (1 Samuel 17:47)

★

★

David two!

바닥까지 떨어져 내려가다

중국의 작은 영웅 덩샤오핑(등소평)은 한때 마오쩌둥(모택동)의 동지였지만 문화대혁명 때 마오쩌둥으로부터 모든 공직에서 파면되고 유배생활을 했다. 마오쩌둥이 죽은 뒤에 복권되어 1978년부터 실권을 장악, 본격적인 덩샤오핑 시대가 되었다.

인기 있는 자는 견제 당한다

정치가들을 보면 함께 일하던 사람들이 원수와 정적이 되고 서로 물어뜯지 못해 난리이다. 바로 권력의 독 때문이다. 명분은 국가를 위하지만 실제는 본인의 이기적인 권력욕 때문에 인간성을 상실한 채 철저히 교활해지고, 온갖 방법을 동원하여 자기보다 인기 있는 자가 눈에 보이는 것을 허락하지 않는다. 그런 사람을 두게 되면 언젠가 자기 자리를 뺏길 것이라는 두려움이 생기게 되고, 그 두려움은 결국 질투로 변하거나 숙청 작업에 들어가 본인이 있는 한 절대로 복권을 소망하기 힘들다. 민주 질서가 잡히지 않은 모든 나라의 공통점이다.

그런데 사실 아예 바닥에 떨어져 있을 때보다 떨어지기 시작할 때가 견디기 힘든 법이다. 그 심적 고통은 이루 헤아릴 수가 없다. 자기를 못살게 하는 장본인을 생각하면 이가 갈리고 반드시 복수하고 싶은 욕망이 솟구치게 된다. 아니면 아예 실망하거나 회의가 들어 속세를 떠나버리는 경우도 있을 것이고….

사울과 다윗의 관계는 어떤가? 골리앗과의 결투 이후에 사람들에게는 다윗의 이름이 회자되고 있었다. 사울은 천 명을 죽였지만 다윗은 만 명을 죽였다며 다윗이 훨씬 더 블레셋과의 전투에서 공을 세웠다고 치켜 올리는 국민들의 이야기를 사울도 듣게 되었다. 처음에는 다윗을 대견하게 생각했는데 자꾸만 그 말을 생각하면 할수록 다윗이 두려워지기 시작했다. 아니 국민들을 두려워하기 시작했다. 국민들이 사울보다 다윗을 더 따를 것을 생각하니 몸서리가 쳐졌고, 그리고 다윗을 왕으로 추대할 것을 생각만 해도 끔찍한 일이었다. 사울은 이러한 시나리오를 도저히 용납할 수 없었다. 사울에게 다윗은 자기의 부하가 아니라 경쟁자요 정적이 되어 버린 것이었다. 그래서 서서히 그의 마음속에는 질투가 생기기 시작했고 다윗을 밀어내는 작업을 시작했다. 다윗은 전혀 그러한 불순한 생각을 하지도 않을 뿐만 아니라 사울을 위해 충성을 다하고 있는데, 지레 겁을 먹은 사울은 과잉 행동을 시작했던 것이다. 사울의 마음이 얼마나 두려웠는지 그의 독백을 통하여 알 수 있다.

"저렇게 인기가 좋으니… 이제 남은 것은 저 녀석이 내 자리에 오르는 것뿐이야."

사울이 다윗에 대한 지나친 경쟁의식, 열등감과 두려움은 그의 목숨까지도 해치려는 악의적 열심으로 변질되었고, 급기야 자기 감정을 통제하지 못하며 미친 듯이 다윗에게 창을 던지기까지 했다. 다윗이 워낙 몸이 날렵하였기에 망정이지 졸지에 개죽음 당할 뻔하였다. 사울은 불안, 초조, 걱정, 근심 등이 가실 날이 없게 되었던 것이다. 사울의 딸 미갈(Michal)과 결혼하려면 결혼 지참금 격으로 블레셋 남자 100명을 죽여 오라고 요구했다. 사울이 이 조건을 내세웠던 것은 딸을 주고 싶어서라기보다는 다윗이 블레셋 군인 100명의 목을 베어 오는 것은 불가능할 뿐만 아니라 오히려 그들에게 죽임을 당할 것이라고 생각했기 때문이다. 손 안대고 코 풀기식으로 다윗을 죽이는데 성공할 것이라고 기대했던 것이다. 그런데 다윗은 그 임무를 2배나 초과 달성하여 미갈과 결혼할 수 있었다. 사울은 딸을 다윗에게 주는 것이 아까웠지만, 워낙 딸이 다윗을 사랑하고 또 자기가 한 말에 대한 책임 때문에 다른 대안이 없었다.

다윗이 결혼하여 미갈과 신혼집을 마련하여 살 때였다. 사울은 다윗이 잠자는 틈을 이용하여 처치하도록 암살 조를 보내기까지 했지만, 다행이 이 사실을 미리 안 미갈이 그날 밤으로 다윗을 피하도록 만들었다. 그는 순식간에 아내와 헤어지게 되었고, 가장 절친한 친구인 요나단(Jonathan)과도 헤어지는 슬픔을 이겨내야 했다.

죽음의 순간에 깨달아야 할 것, 겸손

다윗은 워낙 의지가 강하여 무너지지 않으리라 기대했지만 그는 결국 바닥까지 내려가고 말았다. 그가 망명을 결심했다. 그것도 불과 얼마 전까지만 해도 본인이 직접 전쟁에 참여해서 물리쳤던 적국 블레셋의 중심 도시며 골리앗의 고향인 가드(Gath)로 도망갔다.

인간이 목숨의 위협을 받으면 판단력이 흐려지는지 오직 살기 위한 길을 찾게 된다. 그렇기 때문에 아무리 적국이라 하더라도 그곳에 내 생명을 부지하는데 제일 안전하다면 가는 것이다. 가드에 도착해서 왕 아기스(Achish)를 찾아갔다. 여기서 아기스의 신하가 되어서 살겠다고 했는지 모른다. 그러나 본인의 기대와는 상황이 다르게 전개되어 나갔다. 이미 다윗은 너무 유명해졌고, 그의 얼굴이 알려져 있었다. 다윗은 아기스 왕에게 보고하는 신하들의 말을 엿듣게 되었다.

"이 사람은 분명히 저 나라의 왕 다윗입니다. 사울보다도 다윗이 우리 블레셋 군인들을 더 많이 죽인 놈입니다."(삼상 21:11)

다윗은 그들이 하는 말을 듣고 가슴이 뜨끔했다. 이제서야 정신 차리게 된 것이다. "아뿔싸, 내가 이제 죽게 되었구나"라는 생각이 섬광같이 다윗의 뇌리를 스쳐 지나갔다. 완전히 독 안에 든 쥐가 되어버린 격이었다. 스스로 죽음을 향해 들어온 셈이었다. 도저히 살아남을 가능성이 없어 보였다. 그들이 주고받는 대화에는 자신들의 거인 용사 골리앗을 죽인 치욕이 다시 솟아오름을 느낄 수 있었고, 골리앗의 원수를 갚을 절호의 기회였다.

다윗은 반드시 살아야겠다는 집념이 불타오르기 시작했다. 그럼 다윗이 어떻게 위기를 모면했는가? 그 장면을 다시 한 번 살펴보자.

"그래서 그는 그들이 보는 앞에서는 미친 척을 하였다. 그들에게 잡혀 있는 동안 그는 미친 사람처럼 행동하여 성문 문짝 위에 아무렇게나 글자를 긁적거리기도 하고, 수염에 침을 질질 흘리기도 하였다."

도저히 눈뜨고는 못 볼 다윗의 미친 사람 연기는 안쓰럽기 그지 없다. 살아야겠다는 생각 하나밖에 없었던 다윗, 살기 위해서는 미친 짓보다 더한 짓이라도 할 수 있을 것 같은 다윗이었다. 이스라엘의 영웅, 미래의 왕이 될 다윗, 그의 인생은 완전 바닥을 헤매고 있었다. 처참히 무너져 내린 그의 자존심, 아무리 눈을 비벼도 의지할 곳이라곤 한 군데도 없는 다윗은 완전히 다른 사람이 되어 버렸다. 높은 자리에서 내려올 때 그 상실감은 더 크기 마련이다. 짧은 시간 동안에 왕의 아들과 친구가 되었고, 장군이 되었고, 공주와의 결혼한 어찌 됐던 왕의 사위였다. 목동에서 왕의 사위로, 다시 처분만 기다리는 미친 사람으로….

다윗과 같은 죽음의 위기가 왔을 때, 사람들은 보통 다음 둘 중 한 가지 반응을 나타낸다. 첫 번째 반응의 사람은 바짓가랑이 붙잡고 "살려주세요, 제발 살려주세요. 살려주시기만 하면 내가 무엇이든지 시키는 대로 다 하겠습니다" 하는 사람이다. 한 마디로 비굴해지기 시작한다. 이 비굴함이 통하지 않을 때는 극도의 분노를 가지고 자기를 이 지경으로 만든 사람에게 저주를 퍼붓는다.

이와는 반대로, 죽음 앞에서 자기 자신을 돌아보는 사람이 있다. 그동안 자기만을 의지하고 내가 내 운명을 개척해 나갈 것이라고 과신한 자신의 교만을 돌아보게 된다. 그리고 절대자를 찾게 된다. 감옥에 들어간 사람 중에 많은 경우 하나님을 찾고 기독교인이 되는 경우가 이에 해당할 것이다. 이 사람들은 죽음이라는 공포 앞에 비굴해지는 것이 아니라 겸손해지게 된다. 절대자 하나님을 발견하고 의지하게 된다.

다윗은 어떤 종류의 사람이었을까? 초한지에 나오는 유방과 같이 비굴해졌을까, 아니면 불구덩이 속의 다니엘(Daniel) 같이 하나님을 의지하였을까? 어찌됐건, 바로 그때 다윗의 귀에 이 소리가 들려왔다.

"아니, 미친 놈 아니냐? 왜 저런 놈을 끌어 왔느냐? 왕궁에 저런 놈까지 들어와 있어야 하다니, 당장 내 쫓아 버려라."

절대 혼자가 아님을 명심하라

이 소리를 듣는 순간 다윗은 속으로 안도의 한숨을 쉬었다. 죽음은 모면하는구나 이런 생각을 함과 동시에 그가 깨달은 것이 있다. 바로 세상에서는 의지할 데가 없다는 진리이다. 그러나 여기서 끝나서는 안 된다. 분명 피난처가 있다는 사실을 깨닫는 것이 중요하다(시 142:4~5).

"아무리 둘러보아도
나를 도울 사람이 없고,
내가 피할 곳이 없고,

나를 지켜줄 사람이 없습니다.
하나님, 내가 주님께 부르짖습니다.
'주님은 나의 피난처,
사람 사는 세상에서 내가 받은 분깃은
주님뿐' 이라고 하였습니다."

외로움과 죽음의 공포를 이기게 하시는 분을 다윗이 발견한 것이다. 다윗은 더 이상 좌절하지 않았으며, 오히려 새로운 소망이 넘쳤다.

시선을 현실로 돌려 보자. 우리나라에서 정치인, 기업인 할 것 없이 체면이 손상되고 세상에 공개적 창피를 당하는 것이 두려워 자살하는 사태가 많이 일어났다. 이러한 현상은 의지할 데 없다는 상실감과 모멸감이 그 원인이다. 이들은 자기 명예와 돈, 자신을 의지했었기 때문에 그 의지하던 것들이 사라졌을 때 희망을 발견하지 못하는 것이다. 그러나 이럴 때 붙잡아야 할 것이 있다. 바로 하나님만이 피난처 된다는 사실이다.

의지해야 할 하나님을 못 찾아 자살한 사람이 있는가 하면, 죽음보다 더 깊은 절망에서 승리한 사람이 있다. 바로 이지선양이다. 그녀의 수필 간증집 '지선아 사랑해' 에서, 그녀는 대학 4학년에 재학 중이던 지난 2000년 여름 도서관에서 공부를 마치고 오빠와 함께

★

remember 02

인기 있는 자는 견제 당한다

죽음의 순간에 깨달아야 할 것, 겸손

절대 혼자가 아님을 명심하라

★★★

승용차로 귀가하다가 불의의 교통사고를 당했다. 차는 불길에 휩싸이게 되었고, 간신히 구출된 이지선 자매는 전신 중화상을 입었다. 그 예뻤던 얼굴은 온데간데없고 외계인이 거울 앞에 비쳤다고 착각할 정도로 변해 버렸다. "왜 하필 나인가?" 하고 원망도 했지만, 죽음보다 더 깊은 절망에서 그녀는 빠져 나왔다. 바로 하나님을 의지했고 하나님께서 자신을 통해 희망의 메시지를 전달하고 싶으셨다는 것을 깨달았다.

다윗은 드디어 하나님만이 희망이 된다는 것을 발견하고는 죽음이 두렵지 않았을 것이다. 가드 왕 아기스와 신하들은 다윗이 미쳤어도 아주 중증 환자라고 생각해서인지, 또 미친놈에게 골리앗의 원수를 갚아줄 기분도 나지 않았는지 그냥 재수 없다는 듯 쫓아버렸다.

갈 곳 없는 다윗, 그러나 그는 어디론가 가야 한다. 어느 길을 택할지 다윗을 계속 지켜보자.

★

★

"하나님이여 나를 긍휼히 여기소서 사람이 나를 삼키려고 종일 치며
압제하나이다. 나의 원수가 종일 나를 삼키려 하며 나를 교만히 하는 자
많사오니 내가 두려워하는 날에는 주를 의지하리이다.
내가 하나님을 의지하고 그 말씀을 찬송 하올지라.
내가 하나님을 의지하였은즉 두려워 아니하리니 혈육 있는 사람이
내게 어찌하리이까"(시 56:1~4)

**"Be merciful to me, O God, for men hotly pursue me; all day
long they press their attack. My slanderers pursue me all day
long; many are attacking me in their pride. When I am afraid,
I will trust in you. In God, whose word I praise, in God I trust;
I will not be afraid. What can mortal man do to me?"**

(Psalms 56:1 ~ 4)

★

★

David three!

동굴 속에서 뭉친 다사모

다윗은 적국인 블레셋에서 미친 척하여 가까스로 목숨은 부지할 수 있었고, 거기에서 쫓겨났다. 머리 둘 곳 없는 처지의 다윗은 이스라엘 땅으로 다시 들어와 아둘람(Adullam) 동굴에서의 은닉생활을 결심한다. 다윗에게는 철저히 혼자 있는 시간이었다. 물론 하나님께서만이 유일한 피난처 되신다는 사실을 깨달은 그였지만, 아직도 사울에 대한 섭섭한 감정은 가시지 않았다. 아무도 듣지 않는 동굴 속에서 사울에게 소리 높여 욕을 해댔을지도 모른다. 하나님께 자기의 원통함을 들어달라고 울부짖기도 했다(시 142편). 그의 심정을 적어보자.

"나의 부르짖음을 들으소서.
나는 심히 비천하나이다.
나를 핍박하는 자에게서 건지소서.
그들은 나보다 강하나이다."

이렇게 동굴 속에서 지내는 동안에 어찌된 영문인지 그가 거기 있다는 소식을 알고 사람들이 몰려오기 시작했다. 가장 먼저 온 사람들은 다름 아닌 자기의 가족들이었다. 아마 다윗은 사울의 정적이었기 때문에 가족들에게도 사울은 어떤 제재를 가했을 것이다. 바로 이어 놀라운 일들이 벌어진다. 한두 사람도 아닌 400명이나 몰려오게 된 것이었다.

"그들뿐만 아니라, 압제를 받는 사람들과 빚에 시달리는 사람들과 원통하고 억울한 일을 당한 사람들도, 모두 다윗의 주변으로 몰려들었다. 이렇게 해서 다윗은 그들의 우두머리가 되었는데, 400여 명이나 되는 사람들이 그를 따랐다."(삼상 22:2)

이들은 다윗과 의기투합하여 무언가 일을 터뜨리기 위해 온 자들이었다. 즉, 다사모(다윗을 사랑하는 모임)라는 그룹이 태동하는 순간이었다.

약한 자들과 함께 하라

이 그룹은 자연스럽게 생긴 것이지, 다윗이 사울에게 대항하기 위해서, 힘이 필요해서 사람들을 불러 모으려고 했던 것은 아니었다. 그는 아마 혼자 피신하여 있으면서 하나님과의 대화를 어느 때보다도 깊이 가졌을 것이다. 그래서 사람은 시련과 연단이 필요한 모양이다. 나만은 이런 것들이 피해가길 원하지만 결코 그럴 수 없는 것이 바로 시련이다. 그 시련을 통해서 사람들은 자신을 돌아보고 겸손해지는 것이다. 사울은 정치를 제대로 못하여 사람들로부터 원성을 들었던 것이 분명하다. 사람들은 세금을 과하게 부담해야 했고, 정치적 억압을 당하였고, 분통터지는 일들을 당해야만 했다. 이 당시 400명이 모일 정도면 (후엔 600명으로 늘어났다) 나라 전체의 백성들의 민심이 사울에게서 떠나 있었을지도 모른다.

다윗은 자기의 신세 한탄만 할 처지가 되지 못했다. 모두 비슷한 환경에 놓인 사람들이 모였기 때문에 내 고통이 제일 크다고만 말할 수 없는 상황으로 되어버린 것이다. 이 사람들과 며칠 생활해 보니 모인 사람들은 매우 거친 사람들이었다. 생각도 짧고 단순한 사람들이었다. 상대방에게 예의를 갖추는 사람들도 아닌 야생마 같은 사람들이었다. 상처투성이라 조금만 건들면 터져버리는 그런 사람들이었다. 마음속에 있는 분함, 억울함, 원통함, 복수심이 그들의 영혼을 갉아 먹고 있었다. 이들을 보며 다윗은 자신을 추스를 뿐만 아니라 이들의 미래도 책임져야 했다.

다윗은 이와 같이 바닥에 있는 인생들을 보면서 본인이 보이기 시작했고, 자기 내면에 있었던 상처도 보게 되었다. 자기에게도 사울에 대한 섭섭하다 못해 미움과 분노가 자기를 지배하고 있다는 사실을 발견한 것이다. 나의 처지를 살펴달라고 하는 개인적 차원을 넘어, 이제 한 그룹의 우두머리로서의 책임을 다해야 했다. 그에겐 다시 과거의 양떼를 먹이고 돌봤던 시간들을 기억하면서 결단을 내려야 할 때가 왔다. 이제 이들이 다윗의 인간양무리가 된 것이다.

지금 우리 곁에 원통하고 억울한 일을 당한 사람들이 누굴까? 개인적으로도 있겠지만, 민족적으로 본다면 배고픔과 독재로부터 탈출한 탈북 동포들일 것이다. 현재 남한에 5~6천 명이 있다. 그들은 압제자에 대해 심한 분노에 차있고, 숱한 어려움을 당한 원통한 사람들이다. 이들이 가지고 있을 상처들을 생각해보라. 나는 중국에서 몇몇 탈북자 동포를 만난 적도 있었고, 한국에 정착한 귀순 북한 동포들을 만난 적이 있다. 그들은 한결 같이 자기들의 옛 지도자에 대한 불신과 분노를 가지고 있었다. 이들은 원통한 마음으로 우리를 찾아왔다. 자본주의 사회에 나와서 적응하지 못하는 경우도 많다. 우리도 힘든 판에 그들에게 관심을 갖기조차 힘들지 모르지만, 그들은 분명 우리를 찾아온 자들이다. 다윗이 한 명도 빠짐없이 모두 받아드렸듯이 우리도 그들을 받아드릴 책임이 있다. 받아드린다는 것이 단순히 정부적 차원에서 끝나서는 안 된다. 그보다 개인 개인이 이웃으로 받아들여 그들을 사랑으로 품어야 한다.

상처를 날려버려라

다윗은 드디어 이들을 보며 결심했다. 그의 결심은 마치 아침 해가 떠오르는 것과 같이 흥분되었다. 새로운 시대를 여는 것과 같이 희망이 넘쳤다. 그때의 다윗의 고백이 시편 57편 7~11절에 기록되어 있다.

"하나님이여 내 마음이 확정되었고,
내 마음이 확정되었사오니,
내가 노래하고 내가 찬송하리이다.

내 영광아 깰지어다
비파야, 수금아, 깰지어다 내가 새벽을 깨우리로다.
주여 내가 만민 중에서 주께 감사하오며
열방 중에서 주를 찬송하리이다.

대저 주의 인자는 커서 하늘에 미치고
주의 진리는 궁창에 이르나이다.
하나님이여 주는 하늘 위에 높이 들리시며
주의 영광은 온 세계 위에 높아지기를 원하나이다."

여기에서 다윗의 위대함을 발견한다. 자신을 아무런 이유 없이 박해한 사울을 더 이상 미워하지 않겠다는 결심이 들여다보인다. 이제 자신을 얽어매고 있는 것에 연연해하지 않으며 오직 주님만 찬송하겠다고, 또한 더 이상 사울 때문에 패배감과 죽음의 그림자 속에서 두려워하지 않으며 새벽을 깨우겠다고 결심한다. 다윗에게 환호의 박수를 하늘에서 보내고 있는 소리를 듣는 듯하다.

"그래 다윗아! 바로 그거다. 네가 자랑스럽다. 더욱 힘내거라…."

깜깜한 동굴 속에서 다윗의 찬양소리는 순식간에 동굴 속을 가득 메웠고, 에코는 아름다운 화음으로 되돌아왔다. 그때 다윗은 그의 꿈을 발견했다. 그것은 하나님의 이름이 온 세계 위에 높아지는 것이었다. 자기 자신의 이름이 이스라엘 위에 높아지는 꿈이 아니라 바로 하나님이….

상처가 분노로 발전하는 것을 막아라

살다 보면 상처를 받게 되어 있다. 태어나서 어릴 때는 부모님에게, 학교에서는 선생님과 친구들에게, 회사에서는 동료들과의 경쟁 관계 속에서, 모든 우리의 삶의 영역에서 누구나 상처에 노출되어 있다. 특히 정치를 하는 사람들에게는 너무나 쉽게 타격을 주고받을 수 있는 위치이다. 네가 죽어야 내가 산다는 극렬한 경쟁의식 때문에, 상대방에게 상처를 입히고자 하는 노력을 주야로 하게 되어 있다. 상처를 입히는 방법도 여러 가지이다. 가장 쉬운 것은 일단 뜬금없는 헛소문 퍼뜨리기이다. 또 계속하여 열거하면 모함하여 도덕성에 타격을 가하기, 뒷조사하여 상대방 약점 캐내기, 함정에 빠뜨리기, 말에 대한 진의를 왜곡시키기, 사상 문제 거론하기, 과거 들추기, 인신공격하기 등등 이루 헤아릴 수가 없다. 따라서 어디서 공격을 당할지 모르는 상황에 있다.

전혀 말도 안 되는 소리를 듣게 되면 속에서 열불이 난다. 잠도 잘 이루지 못할 뿐만 아니라 자다가도 벌떡 일어나게 되기도 하고, 어떻게 역공을 펼칠 것인가 모색하기도 한다. 상대방 얼굴만 떠올라도 미움과 증오가 복받쳐 오른다. 가만히 있으면 지는 것 같기도 하고 자존심도 상하고 해서 맞불 작전을 전개하기도 한다. 이런 현상들을 사회적으로, 정치적으로 확대하면 그 강도가 더 커진다.

우리가 반드시 염두에 두어야 할 것은 과거에 받았던 상처를 개인적인 분노로 발전시켜서는 안 된다. 일반적으로 상처를 받았으면 그에 대한 보응이 이루어지는데 대부분 마음속에 칼을 갈게 된다. 상대방에 대한 섭섭함보다 분노가 마음을 사로잡게 되어, 내가 받은 만큼 상대방도 당해야 한다고 생각하게 된다. 더 이상 자기와 같은 피해자가 나와서는 안 된다는 부정적 사명감에 불타게 된다.

정치인이나 지도적 위치에 있는 자들에게는 특히 상처 관리가 중요하다. 마음에 찌꺼기가 남아있는 한, 그 화는 국민에게 돌아오고 국가적 비극이 되기 때문이다. 한 가정의 가장에게 상처가 있으면 집안은 그 영향력 가운데 있다. 한 가장의 문제는 그 가정 안의 문제가 되므로 국가적으로 영향을 미치지는 못하지만, 그러나 정치인들에게는 그 범위가 한 국가가 되기 때문에 상처를 치유 받아야 한다.

'CEO 대통령의 7가지 리더십'의 저자 데이빗 거겐(David Gergen)은, 30여 년 간 백악관에서 대통령 보좌관으로 일한 경험을 토대로 네 명의 대통령, 즉 리처드 닉슨, 제럴드 포드, 로널드 레이건, 빌 클린턴까지 미국 대통령들의 성공과 실패를 객관적인 시각으로 집필하였다. 그의 책에서 상처치료가 얼마나 중요한지를 알려주고 있다.

"닉슨(Nixon)은 정계를 정글의 법칙에 따라 움직이는 곳이라 보았고, 정적에 대해 노골적인 적개심을 드러냈던 데에는 나름대로 이유가 있었다. 닉슨은 정적들로부터 끔직한 공격을 받으면 받은 만큼, 혹은 그 이상을 되돌려주었다. (중략) 닉슨은 자기 안의 악마를 불러냈고, 그 악마는 닉슨 정권을 파멸로 이끄는 계기가 되었다."

닉슨이 주도한 워터게이트(Watergate) 사건은 1972년 6월 닉슨의 재선을 위해 비밀공작 반이 워싱턴의 워터게이트 빌딩에 있는 민주당 전국위원회 본부에 도청 장치를 설치하려다 발각 · 체포된 미국의 정치적 사건이었다. 이 사건으로 몰락의 길을 걷게 되었는데, 거겐은 닉슨이 유년시절, 젊은 시절과 정치초년 시절에 치유되지 않은 깊은 상처가 남아 있었다고 지적한다. 그것이 종종 분노로 치닫게 되었고 감정적 대응과 잘못된 정치윤리를 갖게 되었다고 한다. 닉슨은 다복하지 않은 환경에서 자랐고, 형제들이 어려서 죽었고, 걸핏하면 빈번하게 안 된다는 말을 들으며 자랐다고 한다. 또 어린 시절에 누군가로부터 심각한 위해를 당한 적도 있었다고 한다. 부정적 자아상이 가져오는 부정적 영향력이란 예측할 수 없을 정도로 파괴력이 크다.

사울 왕을 보라. 본인의 질투심과 시기심으로 말미암아 그는 빈대 잡으려고 초가삼간 불태우듯, 다윗을 잡기 위해 국가적 에너지를 소모하여 내정을 제대로 살피지 못하였다.

핍박은 더 크게 쓰임 받기 위함이다

우리는, 비단 정치인들뿐만 아니라 모두 다윗의 삶을 배울 필요가 있다. 그는 결코 복수심을 불태우지 않았다. 사울의 추격은 이제 시작임에도 불구하고 다윗은 더 이상 과거에 집착하지 않겠다고 한다. "내 마음을 확정했다"고 한다. "내가 이제 노래하고 찬송하겠다"고 한다. 모함을 당하여 감옥에 간다 하여도 거기서 우리는 복수를 배우기보다는, 상처를 마음에 간직하기 보다는, 용서를 배우는 훈련 장소가 되어야 한다. 그곳이 바로 아둘람 동굴이 되어야 한다.

비바람을 맞고 자란 나무가 더욱 튼튼한 법이다. 웬만한 시련에도 끄덕하지 않게 되듯이 시험과 핍박이 없으면 작은 시련에도 넘어지고 포기하게 된다. 본인이 핍박 가운데 있다고 하면 더 크게 쓰임 받는 과정이라고 생각해야 한다.

중국의 교회사에 길이 빛날 인물 한 분을 소개하면, 바로 왕밍다오(왕명도) 목사이다. 1949년 공산주의자들이 통치하게 되자 중국교회는 종교는 인민의 아편으로써 제거의 대상이었다. 왕밍다오 목사는 중국 공산당 정권에 의해 1955년 여름에 투옥되었다. 왕 목사는 모진 심문에 못 이겨 1956년 9월 일종의 참회서에 서명하고 석방되었다. 그러나 후에 왕 목사는 양심의 가책을 느끼게 되어 아내와 함께 이전의 참회를 취소하였고, 다시 투옥되었다. 그로부터 20년이 지난 1979년 12월이 되어서야 비로소 그들이 풀려났다. 마오쩌뚱의 시대가 끝이 나서야 석방되었던 것이다.

1980년대에 왕명도 목사는 출옥 후 그리스도를 위한 고난의 경험에 대해 간증했다. 그가 감옥에서 배운 매우 귀중한 교훈은 바로 "용서"였다고 한다. 그는 적들에게 배신당하고 고소당하고 중상모략을 당했으나 예수 그리스도의 사랑으로 그들 모두를 용서할 수 있었다고 한다. 그는 석방된 뒤 계속하여 중국 가정교회의 지도자 역할을 감당하다가 1991년 상해에서 사망했다. 핍박은 우리를 약하게 할 것 같으나 더욱 강하게 하고, 우리를 죽이려고까지 하는 원수들을 사랑할 수 있는 바다보다 넓은 폭의 사람으로 만들어준다.

정적에게 입은 상처를 없애는 것은 결국 보다 큰 그림을 보고, 상처를 더 이상 상처로 여기지 않고, 상대방을 용서하기로 결심하는 것이다. 상처의 늪에서 계속 허우적대는 한 그의 인생은 더 이상 생산적일 수가 없다. 용서하기가 결코 쉬운 일이 아님을 안다. 그래서 결심해야 한다. 미움과 분노의 노예에서 해방되어야만 본인을 사랑하게 되며, 마음의 폭이 커질 것이다. 더 많은 사람을 포용할 것이다. 웬만한 비난과 중상모략에는 끄떡없이 견뎌낼 것이다. 나라와 국민을 위해서라도 이것은 반드시 필요하다. 보복에 보복의 악순환의 고리는 누군가 끊어야 하지 않겠는가?

이제 국가에 흐르는 상처라는 물줄기를 차단해야 한다. 그리고 비상하라. 더 높은 비전을 발견하고 현실을 초월하는 열정의 마음을 가져야 한다. 다윗의 새벽을 깨우겠다는 결단은 우리 모두에게 필요하다. 과거 청산은 과거를 들추어서 끊어지는 것이 아니라 내가 과거에 더 이상 매이지 않겠다는 선언과 함께 그들을 용서할 때 비로소 과거 청산이 이루어진다.

정치운동 이전에 심신수련이 앞서야 한다

다윗과 400명의 다사모는 정치운동부터 시작하지 않았다. 그는 동굴에서 마음을 다스리는 길을 가르쳤다. 시편 34편도 역시 다윗이 아둘람 굴에 있을 때 쓴 시인데 거기에 이런 내용이 있다.

"젊은이들아, 와서 내 말을 들어라.
주님을 경외하는 길을
너희에게 가르쳐 주겠다.

인생을 즐겁게 지내고자 하는 사람,
그 사람은 누구냐?
좋은 일을 보면서
오래 살고 싶은 사람,
그 사람은 또 누구냐?
네 혀로 악한 말을 하지 말며,
네 입술로 거짓말을 하지 말아라.
악한 일은 피하고, 선한 일만 하여라.
평화를 찾기까지,
있는 힘을 다하여라."

왕고집에 부정적이고 거칠었던 이들은 반체제 단체를 만들어 사울에 대항할 수도 있었다. 아니면 조직화하여 임꺽정이나 로빈 훗(Robin Hood) 같은 의적단을 만드는 길도 있었다. 그러나 다윗이 함께 동고동락함으로 말미암아 그들은 바뀌기 시작하였던 것이다. 다윗과 다사모는 신앙공동체로 변하게 되었고, 입에서 독이 나오는 말을 해대던 사람들이 치유와 변화를 맛보는 놀라운 경험을 하게 되며, 치유공동체의 범위를 넘어 사울 왕에 대한 원한이 씻기고 나라를 걱정하는 진정한 다사모로 변한 것이었다. 또한 다윗은 패배자의 길에서 승리자의 길을 가게 되었다.

remember 03

약한 자들과 함께 하라

상처를 날려버려라

상처가 분노로 발전하는 것을 막아라

핍박은 더 크게 쓰임 받기 위함이다

정치운동 이전에 심신수련이 앞서야 한다

★★★

우리도 이런 수련관이 하나 필요하다. 수련관 이름은 '이들람 수련센터', 그래서 속으로만 앓아왔던 사정들을 이곳에서 다 쏟아내어 치유되고, 더욱 포용하는 인격적 지도자로 거듭나도록 도울 필요가 있다. 이곳에서는 절대로 정치 이야기를 할 수 없다. 이러한 목적을 달성하기 위해 '지도자 수련학교 특별법'을 만들어 건전한 인격을 소유한 지도자가 나오도록 하고, 특히 정치를 희망하는 자는 반드시 이곳을 거쳐 나가도록 하면 얼마나 좋을까? 정치 이전에 심신을 닦아 선한 일만 하는 사람들로 만들어야 할 것이다. 비록 우스갯소리 같지만 용서와 포용력을 기르는 훈련의 장이 필요하다는 것이다. 우리가 원하는 목적이 100% 달성되는 것은 아니겠지만 끊임없이 자신을 깨끗하게 하는 과정은 반드시 필요하다.

다윗의 아둘람 수련센터 같은 것이 우리나라에서도 일찍이 도산 안창호에 의해 추진되었다. 대한제국 말기 1909년 개인의 인격이 변해야 민족과 국가가 변한다는 신념으로 '청년학우회'를 조직하였다. (이 운동은 후에 흥사단으로 발전하게 되었다) 그는 이 인격 향상 운동이 정치가에 의해서 실현될 수 있는 것이 아니라 오직 헌신적인 종교적 노력에 의해서만 가능하다고 생각했다. 당장의 정치 운동이나 독립운동도 중요하지만 건전한 인격을 갖게 된 인물이 정치가도 되고, 군인도 되고, 실업가도 되어야 한다는 생각이었다. 그는 한국의 다윗과 같은 인물이었다. 그가 한 말도 다윗이 600명의 다사모에게 한 말과 너무나 비슷하다. 안병욱 외 저 '안창호 평전'에 있는 도산이 한 말들을 옮겨본다.

"낙망은 청년의 죽음이요, 청년이 죽으면 민족이 죽는다."

"우리나라를 망친 원수가 누구냐? 거짓이다. 내 죽어도 다시는 거짓말을 아니하리라."

"너도 사랑을 공부하고 나도 사랑을 공부하자. 남자도 여자도 우리 2천만 한민족은 서로 사랑하는 민족이 되자."

"나 하나를 건전한 인격을 만드는 것이 우리 민족을 건전하게 하는 유일한 길이다."

"적어도 동포끼리는 무저항주의를 쓰자. 때리면 맞고 욕하면 먹자. 동포끼리 악을 악으로 대하지 말자. 오직 사랑하자."

수련을 통한 끊임없는 자기개발이 필요하다. 자, 그렇다면 다윗이 이렇게 동굴 속에서 수련학교를 하는 동안 사울은 무엇을 하고 있었을까?

★

★

"여호와께 피함이 사람을 신뢰함보다 나으며,

여호와께 피함이 방백들을 신뢰함보다 낫도다."(시 118:8~9)

"It is better to take refuge in the LORD than to trust in man.

It is better to take refuge in the LORD than to trust in princes."

(Psalms 118:8~9)

★

★

David four!

사울을 죽일 수 있었음에도 불구하고…

사울 왕은 지구 끝까지라도 다윗을 추격하려고 했다. 그는 직접 그의 목을 베어야겠다고 결심했다. 가드에서 다시 이스라엘로 돌아온 다윗의 도피 행로는 고난의 강행군 그 자체였다. 동굴들과 광야와 수풀과 마을들을 방랑하며 사울의 추격을 피해 수년의 세월을 보냈다.

다윗이 엔게디(En Gedi)에 머물렀을 때의 일이다. 하루는 사울 왕이 다윗을 수색하러 나갔다가, 갑자기 대변이 마려웠다. 왕으로서의 체면에 아무데서나 볼 수는 없었고, 두리번거리며 적당한 곳을 찾아보니 마침 동굴이 있었다. 밖은 환하기 때문에 동굴 속에는 어둠뿐이었다. 원수는 외나무다리에서 만난다고 다윗과 동료들은 바로 그 동굴 속에 숨어 있었던 것이다. 동굴 안의 다윗과 동료들은 누군가 들어오는 소리에 숨을 죽이고, 긴장한 상태로 칼을 움켜지고, 여차하면 공격할 준비를 했다. 참으로 살 떨리는 순간이었다.

최초의 비폭력 시위자

그런데 이게 누군가? 사울이 아닌가? 사울 왕은 이내 자리를 잡고 바지를 내리고 앉아서 용변을 보고 있었다. 실로 하늘이 준 기회라고 아니할 수 없었다. 사울은 완전 무방비 상태였다. 뒤에서 목을 내리치면 바로 두 동강이 낼 수 있는 그런 상황이 닥친 것이었다. 부하들은 "당장 그의 목을 자릅시다!"라고 얘기한다. 그러나 다윗은 그를 죽이는 대신에 사울의 겉옷자락만 몰래 잘랐다. 다윗은 그래도 하나님이 허락하신 왕인데 그를 죽이고 쿠데타를 할 수 없다고 부하들을 타일렀다.

"내가 감히 손을 들어, 하나님께서 임명하시어 세우신 임금님을 치겠느냐? 하나님께서 내가 그런 일을 하지 못하도록 나를 막아 주시기를 바란다."

용변 후, 사울은 아무것도 모른 채 일어나서 굴속에서 나가 부하

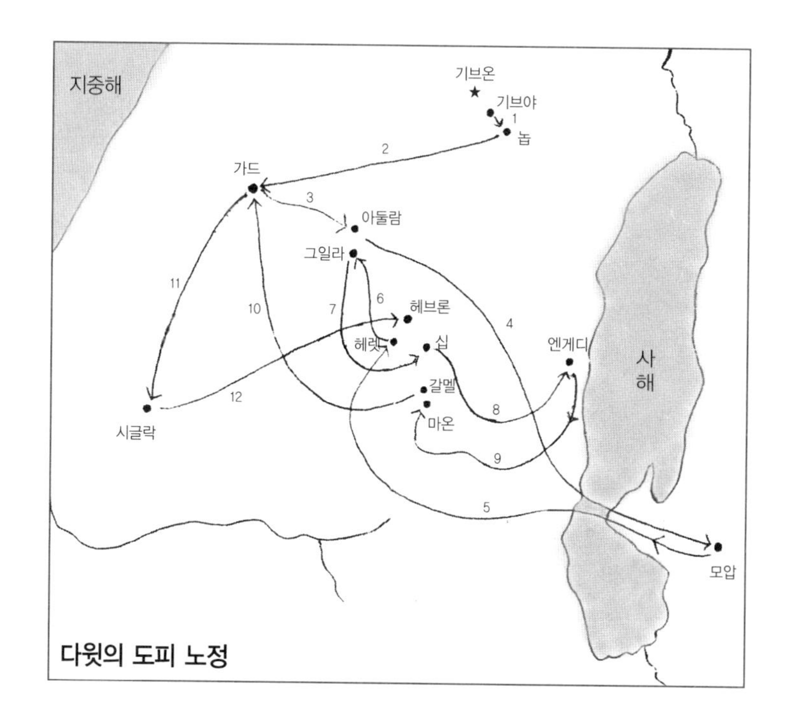

다윗의 도피 노정

들이 있는 곳으로 걸어갔다. 그때 다윗도 일어나 굴 밖으로 따라 나갔으며 뒤에서 사울에게 외쳤다.

"임금님! 오늘 임금님은 저에게 죽는 목숨이었습니다. 임금님을 살려 보내지 말라는 사람도 있었습니다. 그러나 나는 절대로 임금님을 치지 않겠다고 다짐했습니다. 임금님은 주님께서 세우신 분이기 때문입니다. 지금 내가 들고 있는 임금님의 겉옷자락을 보십시오. 이것을 보시면 나의 손에 악이나 죄가 없다는 것을 아실 것입니다. 악인에게서 악이 나오는 법입니다. 이스라엘의 왕께서 어찌 하시어 한 마리 벼룩을 쫓아다니십니까? 주님께서 재판관이 되어주실 것입니다."

만약 당신이 다윗이라면 "나에게 칠 기회를 주시는 하나님 감사합니다" 하고 기뻐하며 목을 치고, 혁명작업에 들어가지 않겠는가? 나를 죽이고자 하는 원수가 바로 내 목전에 있는데 그를 놓아준다는 것은 감히 상상할 수 없는 일이다. 다윗은 이 기회에 국민영웅의 인기도를 가지고 사울 정부를 뒤엎어버릴 수도 있었을 것이다. 그러나 그는 그렇게 하지 않았다. 그를 따랐던 600명도 무언의 시위를 사울에게 한 셈이었다.

다윗의 비폭력 무저항 정신은 오늘날까지 이어져 내려오고 있다. 마틴 루터 킹(Martin Luther King Jr.) 목사(1929~1968)를 기억할 것이다. 비교적 부유한 중류 가정에서 태어나 대학교육까지 받은 그는 인종차별을 심하게 겪지 않는 가정환경에서 자랐다. 그러나 흑백분리 법으로 버스 안의 백인과 흑인 좌석이 구별되어 있었던 것을 철폐하고자 11개월 동안 보이콧을 벌인 사건이 있었다.

"폭력을 써서는 안됩니다. 원수를 사랑하고, 백인들이 우리에게 어떤 고난과 차별을 해도 우리는 그들을 사랑해야 합니다. 그들의 죄를 용서해줍시다."

그는 비폭력 무저항주의 사상을 군중에게 호소함으로써 흑인 민권운동의 상징적 인물로 부각되었다. 그는 암살당할 때까지 자신의 비폭력 무저항주의를 실천했다.

절대 복수하지 말라

엔게디 광야의 동굴 앞에서 벌어진 비폭력 무저항 시위를 통하여 다윗의 삶에서 얻는 중요한 원리가 몇 가지 있다. 첫째, 악을 악으로 갚아서는 안 된다는 것이다. 만약에 이때 다윗이 사울을 죽였다고 가정하자. 그때 굴속에 있었던 다윗의 부하들은 함성을 지르며 기뻐하며 굴속을 빠져 나왔을 것이다. 죽은 사울의 목을 높이 들고 사울 군대에게 보이며 항복할 것을 종용했을 때 어떤 사태가 벌어질 것인가? 그러나 사울 왕만 다윗을 싫어하지 않았다. 누군지는 기록이 안되어 있지만 사울 밑의 유력한 신하들이 다윗을 죽여야 하는 정당성을 계속 주장하고 있었다는 사실이다. 그 사람이 아마 사울의 군대 장관으로 있었던 아브넬(Abner)이라는 사람이었는지도 모른다. 충분히 역공을 할 수 있는 환경이었다. 수적으로도 3천 명의 군대와 600명, 다윗 군대가 불리한 것은 뻔한 사실이다. 아브넬도 만만치 않은 인물이었다. 더구나 아브넬이 누구인가? 사울 왕의 사촌 형제지간이다. 정권의 정통성을 순순히 다윗에게 줄 인물이 아니다. 로마서 12장 17절에 악에 대한 대처방법을 우리에게 알려주고 있다.

"아무에게도 악으로 악을 갚지 말고, 모든 사람 앞에서 선한 일을 도모하라."

악은 악을 부른다는 것은 우리의 역사가 너무나 잘 말해주고 있다. 악은 그 자체가 파괴적이다. 악을 행한 자에게 또 악을 저질러 선이 된다는 것도 착각이다. 그것은 단지 두 번의 악이 될 뿐이다. 복수는 속을 시원하게 하지 못한다. 피를 보는 순간 내 마음에 잔인함과 악만 더 쌓일 뿐이다. 우리 세대는 불의가 판을 친다. 복수하는 것은 결국 하나님의 진노가 내릴 공간을 없애 버리는 것이다.

약 350년 동안 백인들의 지배를 받아왔던 남아프리카공화국을 아는가? 빈곤과 무지 가운데 버려졌던 흑인들에게 자유를 가져다 준 사람은 바로 넬슨 만델라(Nelson Mandela)였다. 1918년에 태어난 그는 흑인의 인권을 위해 한평생 살아온 인물이다. 44세 때는 종신형을 선고 받아 수감되었는데 72세나 돼서야 특별사면으로 석방되었다. 그는 전세계적으로 악명을 떨쳤던 백인정권의 흑백분리 정책을 철폐시켰고, 흑인다수사회인 남아공에서 백인 통치를 종결시키는데 결정적 역할을 했다. 그는 1993년 노벨 평화상에 이어, 1994년 실시되는 대통령 선거에 의해서 남아공 최초 흑인 대통령이 되었다.

그는 대통령에 당선된 뒤 백인들에 대한 정치 보복을 전혀 가하지 않았다. 흑백 화합을 위한 관용과 화해가 전제되어야 한다는 게 그의 통치 철학이기 때문이었다. 만약에 만델라 대통령이 그 상처를 그대로 가지고 있었다면 남아공은 피의 역사로 뒤범벅이 되었을 것이다. 복수는 또 다른 악이 되는 것이다. 만델라는 마틴 루터 킹 목사와 같이 과거의 상처를 증오와 복수로 청산한 것이 아니라 용서로 그 악의 고리를 끊었던 것이다.

지도력은 얻어지는 것이다

다윗의 삶에서 발견되는 두 번째 중요한 원리는, 지도력은 바로 인테그러티(Integrity)로부터 나온다는 것이다. 인테그러티라는 단어에 내포되어 있는 뜻은 거짓이 없이 투명하며 성실하고, 모나지 아니하고, 잘난 척하지 않으며 겸손한 자세로 살아가는 그야말로 본이 되는 삶을 사는 것이라 할 수 있다. 다윗이 사울의 뒤에 대고 크게 외치는 소리는 3천6백 명이 모두 들었다. 그것으로 모든 사람들에게 다윗이 죄 없음을 보여주는 공개 재판장이 되어 버렸다.

다윗의 무죄하다고 호소하는 장면을 한 번 상상해 보라. 왕에 대한 충성심과 간곡히 왕에게 진언하는 모습을 상상해 보라. 다윗의 눈에서는 안타까움의 눈물이 비 오듯 내려오고 있다. 서러움에 우는 것이 아니다. 왕에 대한 애타는 마음이 담겨 있는 눈물이었다. 칼을 내려놓고 무릎 꿇고 마음을 토해 놓는 다윗을 상상해 보라. 거기에 모여 있던 군인들, 그들이 무슨 생각을 했을 것인가? 내가 그 무리 중의 한 사람이었다면, 다윗에 대한 경외심이 절로 생겼을 것이다. 사울 왕도 다윗의 호소에 감동하였고, 그래서 온갖 칭찬의 말을 다 했다. 지금까지 다윗을 죽이려고 했던 사람이 맞나 할 정도이다.

지도력은 본인이 주장하는 것이 아님을 배운다. 지도력은 얻어지는 것이다. 그것은 바로 순수함, 정직함, 성실함, 충성심에서 나온다는 것을 깨닫는다. 600명의 원통한 그의 동료들이 양 같은 모습으로 바뀐 것을 발견하게 된다. 아마 그의 동료들에게 훈련되어야 할 마지막 교훈은 무력으로 기존 질서를 헤쳐서는 안 된다는 것이었다. 다윗은 그들 무리의 모범이 되었고, 그의 충성을 다하는 모습과 용기 있는 행동으로 말미암아 사람들의 가슴은 움직이게 되었던 것이다. 다윗의 이 깨끗한 마음을 보고 군중들은 역시 깨끗해지고 성실해지는 것이다.

어떤 사회 전반에 흐르는 인테그러티는 지도자로부터 흐르게 되어 있다. 그것이 바로 본이 되는 지도자상이다. 그런 지도자를 보면 자신도 모르게 저분과 함께 하고 싶다는 생각과 저분의 말이라면 내가 신뢰하고 따를 수 있겠다는 생각을 한다. 이것이 진정한 카리스마이다. 카리스마는 외모나 권력에서 나오는 것이 아니라 인격에서 나온다. 많은 사람들이 카리스마란 정의를 혼돈하고 있다. 앞에 서면 왠지 모르게 기죽을 것 같은 사람을 카리스마가 있다고 말하는데, 그것이 아니라 존경 받는 인품으로 저절로 기쁨으로 따르고 싶어지는 사람, 바로 그 사람이 카리스마이다.

다윗은 국민 영웅만으로는 부족했고, 지도자가 되려면 무언가가 더 필요했었다. 그는 지도자 자질을 검증 받아야 했는데, 그는 사울을 살려주는 사건에서 검사를 무난히 통과했다. 다윗은 이제 국민 영웅에서 진정한 지도자의 길을 가기 시작했던 것이다. 인기를 뒤에 업은 지도력은 인기와 함께 사라진다. 그러나 사람들의 마음 깊숙이 미친 전인격적 지도력이야 말로 권위나 제도에서 나오는 능력보다 훨씬 강한 능력이다. 보이지 않는 능력을 가진 자만이 진정한 지도자이다. 보이는 것은 보이지 않는 것으로부터 나온다.

remember 04

절대 복수하지 말라
지도력은 얻어지는 것이다

사울은 다윗과는 달리 인테그러티와 별 상관이 없어 보였다. 그 이후에도 또 다시 사울의 변덕스런 성품으로 인하여 쫓고 쫓기는 일은 계속되었다. 생각해 보라. 하루 이틀도 아니고 지금까지 5년이 넘는 세월을 이러한 반복의 연속이었다는 것을. 미치지 않는 것만 해도 다행이다. 다윗, 그는 과연 어디까지 인내하며 이렇게 쫓기는 생활을 지탱할 것인가? 이렇게 외쳐주고 싶다.

"다윗 친구여! 차라리 당신이 죽든지, 사울이 죽든지 빨리 결판 내시요. 보는 우리도 더 이상 못 참겠소."

여기에서 궁금한 것이 있다. 사울의 군대가 다윗을 10번도 더 잡았을 텐데 왜 이리 못 잡는 것일까? 햇수로도 한두 해가 아니었는데 말이다.

★

★

"아버지, 지금 내가 들고 있는 임금님의 겉옷 자락을 보십시오. 내가 이 겉옷 자락만 자르고, 임금님께 손을 대지 않았습니다. 이것을 보시면, 나의 손에 악이나 죄가 없으며, 임금님께 반역하거나 잘못한 일이 없다는 것도 아실 것입니다. 그런데도 임금님은 나를 죽이려고, 찾아다니십니다. 이제는 주님께서, 나와 임금님 사이에서 재판관이 되시고, 나의 억울한 것을 주님께서 직접 풀어 주시기 바라겠습니다. 나의 손으로는 직접 임금님께 해를 끼치지 않겠습니다."

(삼상 24:11~12)

"See, my father, look at this piece of your robe in my hand! I cut off the corner of your robe but did not kill you. Now understand and recognize that I am not guilty of wrongdoing or rebellion. I have not wronged you, but you are hunting me down to take my life. May the LORD judge between you and me. And may the LORD avenge the wrongs you have done to me, but my hand will not touch you." (1 Samuel 24:11~12)

★

★

David five!

결국은 망명하다

다윗은 사막의 여우였다. 사울은 사냥개가 목표물만 보고 달리듯 다윗을 추격하는 데만 집착하였지, 다윗을 어떻게 잡을 것인지는 전략이 없었다. 무조건 대 부대를 이끌어 포위 작전만 펼 생각이었다. 숫자로 밀고 나가려고 했던 것 같다. 벼룩 잡는 것이 어디 쉬운 일인가? 이럴 때는 정찰 요원을 조직하거나 지능적인 암살 공작 대원을 만들든지 했어야 했다. 대포로 빈대 잡는 격이었다.

사울이 다시 3천 명의 군사들을 거느리고 추격전을 벌였을 때이다. 다윗은 사울의 추격 부대가 진을 친 장소를 확인한 후 정찰 대원을 파견하여, 사울이 어느 진지에 머물고 있는지 확인했다. 전략에서도 다윗은 사울을 능가하였다. 천부적인 군인이었다. 사울이 자고 있는 틈을 타서 다윗의 용맹스런 부하 중의 하나인 아비새(Abishai)와 함께 다윗은 사울이 잠자는 곳을 습격했다. 사울 왕을 호위하는 군사들도 모두 잠에 빠져 있었다. 둘은 사울의 잠자는 모습을 내려다보았다. 사울은 파리 목숨과도 같았다. 아비새가 한방에 창으로 찔러 땅바닥에 박아 버리겠다고 하자, 다윗은 또 타일렀다. 결국 그들은 사울의 머리맡에 있는 물병과 창만 가지고 사울의 진지를 떠났다. 사울은 두 번이나 다윗에게 죽을 목숨이었지만, 하지만 다윗은 무죄함을 강하게 호소하는 차원으로 비폭력 무저항 시위로만 끝냈다. 다윗의 기존 질서에 대해 존중하는 정신은 오늘날 우리가 반드시 배워야 할 덕목이다.

두려움은 판단착오를 가져 온다

다윗은 늘 신변 안전을 생각하면서 살아야 했고, 잠잘 때도 언제나 전투 복장으로 자야 했을 것이다. 언제 사울의 군대가 기습할지 모르기 때문이다. 늘 불안 하다 보니 나중에는 믿음이 약해지고 살아남기 위해 더 좋은 방법이 없을까 궁리했다. 도망 다니는 것도 하루 이틀이지 벌써 몇 년째이다. 사울은 미친개처럼 집요하게 다윗에 대한 추적을 포기하지 않고 있었다. 세월이 흐르면서 죽음의 순간에서도 잘 버티던 그가 이스라엘을 떠나려는 생각을 한다. 누구나 어려움이 계속되면 그곳에서 탈피하고 싶어진다. 도피하고 싶어진다. 그토록 하나님을 의지하며 나갔던 신앙의 영웅에게 어느 순간 영적 침체기가 찾아왔던 것이다.

다윗 이후의 인물이었던 엘리야(Elijah)도 마찬가지이다. 그는 우상숭배자 이세벨(Jezebel) 왕후의 미움을 받고 목숨의 위협을 당하게 된다. 이 소식을 엘리야가 듣고 그곳을 피했고, 하루는 로뎀나무(Broom tree)가 있는 곳에 이르러 하나님 앞에 죽기를 간구한 적이 있었다. 그 이전에 수많은 하나님의 능력을 체험했고 어떤 기세에도 눌리지 않았던 엘리야였는데, 하루아침에 이렇게 소심한 겁쟁이로 변했던 것이다. 염려와 두려움은 몸을 사리게 하고 사람을 비겁하게 만든다. 두려움 중에 가장 커다란 두려움은 죽음에 대한 것이다. 그렇다면 두려움을 이긴 정치와 관련된 사람이 누가 있을까?

페르시아(Persia)의 유대인 왕후 에스더(Esther)이다. 페르시아는 유다 왕국을 침략한 바벨론 제국을 멸망시킨 나라이다. 당시에 왕의 신하 두 명이 유대인들을 진멸시키려는 간계를 꾸미고 있었다. 이 음모를 알게 된 에스더의 사촌오빠 모르드개(Mordecai)는 왕 앞에 나아가 진언하도록 종용했다. 그러나 왕의 부름이 없이는 왕후라도 나아갈 수 없는 제도 아래서 함부로 나아갔다가는 죽음을 면치 못하는 상황이었다. 사촌오빠에게 도전 받은 에스더는 자기 동족에게 3일 금식기도를 부탁하였고, 그 후 규례를 어기고 "죽으면 죽으리라"는 각오로 왕 앞에 나아갔는데, 뜻밖에 왕이 흔쾌히 에스더의 청을 들어주어 동족들이 모두 살해당하는 것을 면하게 되었다.

에스더와 같은 죽으면 죽으리라는 믿음이 사라진 지 오래된 다윗은 이스라엘에 남아 있는 한 생명의 위협은 계속 있을 것이라 생각하여 도망갈 궁리를 하였다. 그래서 그가 미친 척 하였던 블레셋의 가드 지역 아기스 왕에게 다시 가기로 결정 하였다. 여러 해 동안 600명과 그 가족들을 먹여 살리는 것도 쉬운 일이 아니었다. 생계 유지를 위해서도 아마 망명을 결정했을지 모른다. 블레셋은 이스라엘의 최대 적국이었다. 그런데 지난번과는 달리 이번에는 아기스가 순순하게 다윗을 받아주었다. 아기스가 다윗의 명성을 알고 있었음에도 불구하고 받아준 이유는 무엇일까?

미끼에 조심하라

블레셋은 호시탐탐 틈만 나면 이스라엘을 공격하려고 했던 찰거머리 같은 나라였기 때문에 이스라엘의 내부 사정을 잘 알고 있었던 것 같다. 아기스가 다윗을 받아드린 이유도 분명 어떤 정치적 계산이 있었음이 분명하다. 즉, 사울 왕의 정적이었기 때문에 다윗을 자기 편으로 만들자는 아기스의 계산이었고, 다윗은 목숨 부지가 가장 시급한 일이었다. 서로의 계산이 맞아 떨어진 셈이다.

블레셋이 이스라엘을 이기려면 다윗이 절대로 이스라엘에 있어서는 안되었다. 이미 골리앗 경험을 한 블레셋이었기 때문에 다윗이 일단 자기들의 적에서 배제 되어야 했다. 다윗과 싸우지 않는 시나리오로만 전개되어도 블레셋은 충분히 승산이 있다고 계산한 것이다. 또한 다윗의 군대는 잘 훈련되어 있었기 때문에 먹을 것을 해결해 주는 대신에 아기스 왕 자신의 용병으로도 활용하는데 적격이었을 것이다. 아기스는 외국인 용병을 이용해 자기 나라를 더욱 공고히 하고자 하는, 이른바 아웃소싱(outsourcing)전략이었다. 아웃소싱이란 어떤 조직의 원하는 목표 달성을 위해 외부의 인적, 물적 자원을 활용하는 것을 말한다.

이런 계산을 가지고 있던 블레셋의 아기스 왕은 다윗이 원하는 것을 다 들어 주었다. 다윗이 아기스 왕과 어느 정도 우정을 쌓은 후 시골지방을 하나 떼어달라고 하였는데, 아기스 왕은 흔쾌히 시글락(Ziklag)이라는 성읍을 떼어 다윗에게 주어, 따라 온 600명 부하들과 그 가족들이 살아가도록 배려도 해주었다.

아기스의 배려에 고마워한 다윗은 아기스에게 충성하는 모습을 답례로 보여 주어야 했다. 그것은 바로 자기 동족을 공격하는 것이었다. 그래서 아기스 왕을 기쁘게 해주어야 했다. 혹 떼려다가 혹을 더 붙인 셈이 되어 버렸다. 이럴 때 당신이 바로 다윗이라면 어떻게 하겠는가? 그냥 식솔들을 데리고 야반도주를 하든지, 아니면 솔직하게 그것만은 못하겠다고 항변하든지, 둘 중의 하나일 것이다. 다른 더 좋은 선택이 있을까? 그러나 곰곰이 생각해봐도 도망가 봤자 어디로 가겠는가? 다시 이스라엘 아둘람 동굴로 가봤자 사울은 추격을 재개할 것이다. 그럼 변명을 하는 것은 어떤가? 결과는 죽음밖에 없다. 가장 잘 돼봤자 추방당하는 것이다. 그럼 다윗을 믿고 따라왔던 사람들은 어떻게 생각할까? 아마 다윗을 믿고 따랐다가는 큰일 나겠구나 하고 더 이상 지도자로 신뢰하지 않을 것이다. 실로 진퇴양난인 것이다.

우리는 미끼에 넘어갈 때가 있다. 대체적으로 경제적으로 어려운 상황에 있을 때 미끼를 덥석 물게 된다. 소신대로 행동하지 못하고 목구멍이 포도청이라는 속담에 위로 받으며 윗사람이 비도덕적인 일을 시켜도 입을 다문 채 묵묵히 시키는 대로 열심히 한다. 정치인의 경우는 어떤가? 선거에서 표를 몰아주는 사람에게 약하다. 또 소속 정당의 눈치를 본다. 자신의 소신과는 상관없이 소속 정당이 원하는 대로 끌려간다. 평소에 청렴했던 사람도 돈의 유혹에 넘어가 정치자금을 받으면 결국 그 사람은 자신의 주장을 펼 수 없게 되어 있다. 돈 준 사람의 뜻에 끌려가게 되어 있는 것이다. 한마디로 기쁨조의 신세로 전락하는 것이다. 먹고 사는 문제에서 해방되어야 한다. 여기에 목 매인 이상 당신은 회사를 위해, 국가를 위해 위대한 일을 할 수 없다. 그저 용기 없이 살아갈 뿐이다. "목구멍이 포도청"이라는 말 대신에 "산 입에 거미줄 치랴" 하며 소신대로 행동하라.

다윗의 블레셋 망명에서 보여주는 교훈은 한 번 길을 잘못 들어서게 되면 거기서 헤어 나오기 힘들다는 것이다. 권모술수가 능한 사람은 이런 사람의 심리를 적절히 이용한다. 한 마디로 얘기하면 미끼를 던져 그것을 물게 한다. 다윗은 이 유혹에 넘어갔다. 신변의 안전이라는 목적은 성취했을지 모르지만 이제부터 적국의 왕인 아기스의 신하가 되었고, 그를 기쁘게 하지 않을 수 없게 된 것이다.

자국민에게 해를 끼치지 말라

시글락에서 머물며 거처를 마련한 것은 다행스런 일이지만, 다윗의 마음은 얼마나 괴로웠겠는가? 자기 동족을 친다고 생각해보라. 동족을 사랑하는 마음은 누구 못지않은 다윗이다. 민족에 대한 자부심은 이루 말할 수 없었던 다윗이다. 다윗은 뜻밖의 선택을 했다. 도망가거나 추방당하는 것을 선택하지 않고 그냥 머물러 있는 것을 선택했다. 그리고 감히 상상도 할 수 없는 차선책을 생각해냈다. 바로 이스라엘을 치는 것 같이 하면서 이스라엘을 치지 않는 전략이었다.

이스라엘의 가장 밑의 지방이 유다 지역이었는데, 다윗은 그 밑의 나라, 자기 민족과는 전혀 상관이 없거나 자기 민족의 위협이 되었던 민족들의 성읍들만 쳤다. 그리고 돌아와서 아기스에게는 거짓말로 보고를 하는 형식을 취했다. 또 거짓말이 탄로 나지 않도록 한 번 전쟁을 나가면 아이건 어른이건 모조리 죽였다. 다윗의 머리 회전은 아기스 위에서 놀고 있었다. 아마 사람이 생사의 갈림길에서는 지혜가 생기는 모양이다. 이 선택은 그가 살 수 있는 유일한 방법이었다. 아기스는 그 때마다 기뻐하면서 다윗을 신뢰하기 시작했으며, 영영 이스라엘에 돌아가지 못할 것이라고 생각했다(삼상 27:12).

"아기스는 다윗의 말만 믿고서, 다윗이 자기 백성 이스라엘에게서 그토록 미움 받을 짓을 하였으니, 그가 영영 자기의 종이 될 것이라고 생각하였다."

사람을 속여도 이 정도는 되어야 할 것 같다. 그러나 다윗의 거짓말은 처음부터 의도라기 보다는 신변안전을 위해 아기스에게 고개 숙이고 들어간 결과였다. 양심상 자기 민족을 칠 수는 없고 안치자니 아기스에게 의심받으면 쫓겨날 가능성 보다는 자기를 비롯한 600명의 식구들이 몰살당할 위험에 있었던 것이다. 그는 이스라엘 백성들을 위해서뿐만 아니라 자기의 식솔들을 살리기 위해서라도 거짓말을 해야 했다. 그럼 다윗은 거짓말쟁이에다가 이중인격자라고 우리가 결론 낼 수 있겠는가? 적국의 장군이 되어서 그 나라를 위해서 일했다고 해서 그 사람을 나쁜 사람이라고 몰아세울 수 있는가?

remember 05

두려움은 판단 착오를 가져온다

미끼에 조심하라

자국민에게 해를 끼치지 말라

다윗은 자기 민족에 대한 행동 원칙이 분명했던 사람이었다. 머리털 하나라도 다치게 하고 싶어 하지 않았다. 민족의 안전을 위해서라면 거짓말은 충분히 용납할 수 있다. 표면적으로만 본다면 다윗은 친블레셋 인물이 된 것이다. 우리나라에서라면 친일행적으로 의심받기에 충분한 다윗의 경력인 것이다. 거짓말이 무조건 악이라고 생각하는 사람이 있을지도 모르겠지만, 아무튼 다윗은 이 거짓말로 자기 신변을 보호했을 뿐만 아니라 자기 민족을 치는 배신행위는 하지 않았다. 그러나 거짓말을 하기 시작한 것이 계속 감당할 수 없는 거짓말을 지어내야 하는 상황으로 가고 있다면 어떻게 될까?

다윗은 자기도 모르는 사이에 늪에 빠져 허우적거릴수록 더 빠져들어 가듯 그 수렁을 밟고 있었다. 스스로의 힘으로는 감당할 수 없는 일이 이제 벌어지고 있었다.

★

★

다윗이 혼자서 생각하였다.

"이제 이러다가, 내가 언젠가는 사울의 손에 붙잡혀 죽을 것이다.

살아나는 길은 블레셋 사람의 땅으로 망명하는 것뿐이다.

그러면 사울이 다시 나를 찾으려고 이스라엘의 온 땅을 뒤지다가 포

기할 것이며, 나는 그의 손에서 벗어나게 될 것이다."

그래서 다윗은 일어나서, 자기를 따르는 부하 육백 명을 거느리고,

가드 왕 마옥의 아들 아기스에게로 넘어갔다.(삼상 27:1~2)

But David thought to himself, "One of these days I will be destroyed by the hand of Saul. The best thing I can do is to escape to the land of the Philistines. Then Saul will give up searching for me anywhere in Israel, and I will slip out of his hand." So David and the six hundred men with him left and went over to Achish son of Maoch king of Gath.(1 Samuel 27:1 ~ 2)

★

★

David six!

다윗의 철저한 두 얼굴 작전

블레셋의 가드 왕 아기스는 이제 다윗을 철저하게 신뢰하는 단계에 왔을 때, 다윗이 자기를 배반하지 않을 것이라는 확신에 찼을 때, 드디어 이스라엘을 공격하기 위해 모든 부대를 집결시켰다. 아기스가 대담한 것은 다윗과 함께 출정하자고 하는 것이었다. 다윗이 자기에게 도움이 될 것을 기대했다. 이렇게 되기에는 다윗의 거짓말이 한몫 했다. 그야말로 이제 자기 동족을 아기스가 보는 앞에서 쳐야 되는 상황으로 발전한 것이다. 이런 말을 듣고, 다윗은 자기 부하들을 모이게 해서 의논할 시간적 여유도 없었다. 아기스는 다윗을 심복으로 여길 정도로 신뢰하였던 것 같다. 그들의 대화를 다시 한 번 보자.

"귀관이 나와 함께 출정하여야 한다는 것을 알고 있을 줄 아오. 귀관은 부하들을 거느리고 직접 출정하시오."

"그렇게 하겠습니다. 이 종이 무엇을 할 수 있는지, 임금님께서 아시게 될 것입니다."

"좋소! 귀관을 나의 종신 경호 대장으로 삼겠소."

다윗은 아기스 왕을 경호하면서 전쟁터에 나가는 신세가 된 것이다. 다윗을 최 측근으로 삼아서 전쟁을 치르려는 아기스의 심산이다. 다윗의 칼에 자기와 같은 민족인 이스라엘 군사들의 목을 쳐야 하다니, 너무나 비극적 상황이 벌어지려고 하는 찰나이다. 더군다나 맞은 편 이스라엘 군의 전쟁을 지휘하는 사람은 사울 왕이 아닌가. 또 가장 친한 친구 요나단도 아버지 사울 왕과 함께 출전한 것이 아닌가.

전화위복을 끝까지 기대하라

이때 다윗의 마음이 어떠했을까? 다윗은 마치 이스라엘 군대를 초토화 시키겠다는 각오가 섞인 듯 이야기 하고 있다. 어떻게 이런 말을 자신 있게 할 수 있을까? 아무런 주저함 없이 무언가를 보여주겠다는 듯이 말하는 데는 두 가지 추측을 해볼 수 있다. 첫 번째는, 진짜 사울 왕을 쳐야겠다고 마음먹었다고 가정할 수 있다. 그러나 이 추측은 설득력이 없는 것이 다윗은 이스라엘을 한 번도 치지 않았다. 이웃 나라들만 쳐서 마치 이스라엘을 친 것 같이 여기도록 아기스를 속여 왔었다. 두 번째는, "갈 데까지 가보자. 탈출구는 그저 하나님에게만 맡길 수밖에 없다. 그러니 일단은 아기스의 환심을 사놓도록 하자"라고 추측하는 것이다.

다윗의 충성 맹세에 아기스는 가장 가까이에서 자기 신변을 보호하는 경호 대장으로 다윗을 임명했다. 아기스는 바로 이 대목에서 실수를 했다. 그를 너무 믿었던 것이다. 전투 대열에서 가장 앞자리에 서도록 하여 공격하게 했다면, 그들은 이스라엘을 칠 수밖에 없었을 것이다. 왜냐하면 군사들의 부인과 가족들은 아기스 왕이 하사한 시글락 마을에 볼모로 잡혀 있는 것이나 다름없었기 때문이다. 다윗의 철저한 두 얼굴 작전에 아기스가 녹아난 것이다. 다윗 군대는 전투 대열에서 아기스 왕을 보필하기 위해 가장 뒷자리에 아기스와 함께 있게 되었다.

아기스의 부하 장군들은 이 전투 배치를 보는 순간 의문하기 시작했다. 다윗과 그 부하들이 누구길래 우리들 뒤에 서있는가? 그럼 당연히 앞에도 이스라엘 군대, 뒤에도 이스라엘 군대로, 다윗이 마음이 변하기만 하면 우리는 협공에 시달릴 수 있을지 모른다는 염려가 생기기 시작했다. 한 마디로 뒤통수가 가려운 전열이었다. 온 힘을 다해서 전쟁에 임해도 힘든 판인데 뒤가 자꾸 거슬려서 전쟁을 할 수가 없지 않겠는가? 결국 아기스의 장군들이 다윗과 그 부하들에 대한 불만과 염려를 늘어놓았다. 하는 수 없이 아기스는 다윗을 불러 전투에 참여할 수 없는 이유를 설명했다. 그러자 다윗은 매우 불공평하다는 듯이 더 큰소리로 따졌다.

"내가 잘 못한 게 뭡니까? 나는 당신의 신하입니다. 당신의 원수들을 무찌르게 싸울 기회를 왜 안 주시는 겁니까?"

아기스는 그 말에 흐뭇해하면서 다윗을 동정하고는 내일 아침 날이 밝는 대로 다윗과 부하들의 거주지인 시글락으로 돌아가 있으라고 명령했다. 다윗은 블레셋 편에서 보면 철저한 이중인격자이다. 한편 이스라엘 편에서 보면 철저한 애국자이다. 이와 같이 한 사람에 대한 평가는 그 나라의 이해관계에 따라 평가 될 수 있다. 자기가 속한 나라의 입장에 서는 것이 바른 것이다. 해외에 나가보면 애국자가 되어서 오는 이유가 있다. 내 민족 내 나라에 대해 생각이 더욱 간절해지기 때문이다.

내일을 장담하지 말라

다윗은 큰 위기를 모면했지만, 무엇을 깨달았을까? 자기 본위대로의 망명 결정이 엄청난 화를 자초할 뻔했다는 것을 상기하며, 모든 문제의 해결자 되시는 하나님을 더 의지했을 것이다. 우리가 세월이 좋을 때는 우리 스스로 모두 해 낼 수 있을 것 같은 자신감을 갖는다. 돌발적 변수가 발생하지 않는다는 가정에서 맞는 이야기일 수도 있다. 그러나 세상 일이란 우리가 예측하고 생각한 대로 이루어지지 않는다. 머리가 너무나 명석하여 계산 능력이 빨라 남들보다 더 정확하게 한발자국 앞을 내다본다 할지라도 전체를 시뮬레이션(simulation)하여 결과를 미리 도출할 수는 없다. 다윗과 같이 전혀 예기치 않은 사태가 발생하게 되면 앞이 캄캄할 뿐이다.

다윗이 아무리 전쟁을 잘하고, 무릿매를 잘 던지고, 음악적 재능이 넘치고, 총명하다 할지라도 이 상황에서 다윗이 할 수 있는 것은 하나도 없었다. 다윗의 운명은 블레셋 군대에 있거나, 아니면 하나님 손에 달려 있거나 그 외의 변수는 하나도 없었다. 야고보서 4장 14~15절에서는 우리의 미래를 우리가 컨트롤할 수 없음을 알려준다.

"여러분은 내일 일을 알지 못합니다. 여러분의 생명이 무엇입니까? 여러분은 잠깐 나타났다가 사라져버리는 안개에 지나지 않습니다. 도리어 여러분은 이렇게 말해야 할 것입니다. 주님께서 원하시면 우리가 살 것이고, 또 이런 일이나 저런 일을 할 것이다."

주님께서 원하시면 우리가 살 것이고, 또 이런 일이나 저런 일을 할 것이다. 우리는 내일 일이 아니라 한치 앞도 사실 모른다. 그럼에도 불구하고 교만한 적이 얼마나 많은가? 마치 내 운명, 내 사업, 내 국가의 미래는 내가 결정지을 수 있다고 여기는 것만큼 교만한 것은 없을 것이다.

remember 06

전화위복을 끝까지 기대하라
내일을 장담하지 말라

★★★

다윗의 이번 경험은 로마서 8장 28절에도 있듯이 "하나님을 사랑하는 사람들, 곧 하나님의 뜻대로 부르심을 받은 사람들에게는, 모든 것이 협력해서 선을 이룬다"는 것을 확인할 수 있다. 다윗의 블레셋 망명 기간은 그에게 있어서 하나님과의 교제가 끊어졌던 기간이었고, 이중적 행동에서 오는 불안의 연속이었으며, 급기야는 벼랑까지 몰리는 상황까지 치달았다. 마지막 순간에 하나님께서는 깊은 수렁에 빠져있던 다윗을 끌어 올리셨다.

위기를 모면했다고 해서 그들 앞에 휴식이라는 꿈같은 단어가 과연 기다리고 있을까? 하나님께서는 다윗이 왕이 되는데 필요한 하나님과의 친밀함을 회복시키기 위해서 그에게 시련을 한 번 더 가져다주신다.

★

★

"내가 여호와를 기다리고 기다렸더니 귀를 기울이사 나의 부르짖음을 들으셨도다 나를 기가 막힐 웅덩이와 수렁에서 끌어 올리시고 내 발을 반석 위에 두사 내 걸음을 견고케 하셨도다."(시 40:1~2)

"I waited patiently for the LORD; He turned to me and heard my cry. He lifted me out of the slimy pit, out of the mud and mire; He set my feet on a rock and gave me a firm place to stand."

(Psalms 40:1 ~ 2)

★

★

David seven!

다윗, 로비스트인가?

다윗과 600명의 부하들은 할 수 없다는 듯 전쟁터에서 빠져 나와 3일 만에 다시 시글락으로 돌아왔다. 그런데 이게 웬일인가? 마을은 완전 초토화되어 있었다. 그 틈에 인접한 나라인 아말렉(Amalek) 사람들이 시글락을 침입하여 노략질하고, 온 마을에 불을 질러 버린 것이다. 성읍에 살던 어린아이나 노인 할 것 없이 사로잡아 가버렸다. 다윗의 두 아내들도 다 사로잡혀 갔다. 기가 차고 맥이 풀려 털썩 주저앉아 목놓아 울어댔다. 힘이 다 빠져 지칠 대로 지쳐서 더 이상 울 수 없을 때까지 몇 시간이고 울었다. 모든 병사들이 자기 아내와 아들딸들을 잃은 것에 대해서 슬픔이 분노로 변하였고, 속이 끓어오르기 시작했다. 지금까지 다윗만 믿고 자기들의 인생을 그에게 맡긴 셈이었는데 다윗 때문에 완전 쪽박 차는 신세가 되어버린 것이다. 드디어 그들끼리 쑥덕거리기 시작했다.

위기를 기회로 만들어라

"우리가 누구 때문에 가족들을 잃었냐?"
"아말렉 사람들이 이렇게 까지 한 이유는 결국 다윗 때문이야."
"맞아, 다윗을 돌로 치자!"

이들의 태도를 보고 다윗은 당황하지 않을 수 없었다. 자기를 그렇게 따르고 지금까지 한 가족처럼 정을 나누고 동고동락했는데, 어떻게 이렇게 돌변할 수 있단 말인가? 다윗은 절대 절명의 위기에 놓여 있었다. 지도자로서의 생명이 끝날 수 있었다. 다사모는 영원하지 않았다. 아무리 의기투합했다 하더라도 자기에게 손해가 나면 남을 탓하게 되어 있다. 그때 다윗은 무언가 행동에 옮겨야 했다. 자기변명을 하지 않았고, 부하들을 책망하지도 않았다. 다윗은 기도하는 지도자였다. 그는 다시금 실망에 빠져있는 자들에게 도전하였다.

"동지들! 여러분을 충분히 이해하오. 너무나 슬퍼 더 이상 살아갈 의욕이 나지 않는 것 나도 잘 아오. 나도 마찬가지요. 그러나 우리가 우리끼리 서로 싸워서 좋을 게 뭐가 있겠소? 잡혀가 있는 우리의 가족들은 우리가 그들을 구출하러 올 것이라고 믿고 있을 것이오. 우리가 그들을 추격합시다! 빼앗긴 우리의 가족과 물건을 되찾아 옵시다!"

리더가 되려면 위기 때 강해야 한다. 낙망 가운데 빠져 있어서는 안 된다. 군중들을 원망해서도 안 된다. 해결책을 모색해야 한다. 그것만이 리더가 나아가야 할 길이다. 국민들을 격려하며 나아가야 한다. 다윗은 위기관리의 달인이었다.

다윗은 600명 중에 지쳐있는 200명은 쉬게 하고 400명을 데리고 아말렉을 추격하였다. 계속 추격하는 도중에 사흘 동안 굶은 한 소년을 만났는데, 가던 길을 멈추고 그의 생명을 살리기 위해 먹을 것과 마실 것을 주었고 잘 간호해 주었다. 연약한 자를 그냥 죽게 할 수 없다는 다윗의 긍휼정신이 돋보이는 장면이다. 너무나 놀랍게도 그 소년이 아말렉 사람들의 진지를 알고 있었기 때문에 그 소년의 도움으로 아말렉 사람들을 추격하여 멸절시킬 수 있었다. 잃었던 가족도 되찾았을 뿐만 아니라 그들에게서 전리품까지 주체할 수 없을 만큼 가득 싣고 돌아오게 되었다.

다윗과 같이 위기를 기회로 바꾼 대통령으로 미국의 프랭클린 루스벨트(Franklin Roosevelt)를 예로 들 수 있다. 그는 39세 때 소아마비에 감염되어 남의 도움이나 지팡이에 의지하지 않고는 다시는 홀로 설 수 없는 하반신 마비 장애인이 되고 말았다. 그는 소아마비 재활센터를 건립하여 7년이란 긴 세월 동안 전국에서 몰려 온 동료 소아마비 장애인들을 위로하고 치료하는 의사 역할도 하면서 자신의 신체적 기능 회복에 최선을 다했다. 발을 사용하지 않고도 운전을 할 수 있도록 그의 자동차를 변조하여 직접 차를 운전하기도 했고, 마비된 근육의 힘의 강도를 측정하는 도구를 만들어 기능 회복의 정도를 측정하기도 했다. 발명왕 에디슨 같이 성공할 때까지 시도하는 노력파였다.

1932년 그는 미국 제32대 대통령으로 당선되었는데, 대통령 선거의 쟁점은 경제 대공황 문제였다. 루스벨트는 미국 전역을 순회하며 뉴딜(New Deal)로 이름 붙여진 경제부흥 및 개혁안의 윤곽을 자신 있게 설명했다. 대통령 취임 연설에서 그는 다음과 같이 자신의 굳은 의지를 밝혔다.

"미국은 이미 과거에 그래왔던 것처럼 역경을 극복하고 살아남을 것이며, 번영을 이룰 것입니다. 우리가 두려워해야 할 것은 두려움 그 자체일 뿐입니다."

그는 미국 역사상 유래가 없는 4선 대통령으로, 링컨(Lincoln)이래 가장 위대한 대통령이 되는 탁월한 통치를 했다. 그가 이렇게 위대한 대통령이 된 것은 자신의 장애를 통해 경제 대공황으로 고통에 처한 국민들의 아픔을 더 잘 이해하고 공감하는 마음을 가질 수 있었으며, 끝내 포기하지 않으며, 문제를 회피하지 않고 직면하여 새로운 방법을 찾아 해결하는 노력 때문이었다. 지도자에게 중요한 정신은 위기를 도전과 새로운 정책(New Deal)의 기회로 삼아야 한다는 것이다.

인간관계는 가식 없는 마음으로 하라

다윗을 따랐던 600명과 가족들은 정신적으로 경제적으로 공황 상태에 있었다. 그렇지만 다윗의 위기 극복의 지도력으로 인해 사람들은 다시 희망을 되찾았다. 오히려 더 부자가 되어 돌아왔다. 그런데 다윗은 그동안 전혀 하지 않았던 일을 시도했다. 이 전리품들 중의 일부를 떼어서 본인의 고향인 유다 지역에 (우리 식으로 표현하면 영남 혹은 호남 지역) 보냈다. 유다 지역의 모든 시, 읍, 군 소재지의 자기가 아는 사람들과 자기가 도움을 받았던 사람들에게는 다 보낸 셈이었다. 그러면서 이 말을 반드시 밝혔다.

"보십시오. 이것은 당신을 위한 선물인데 주님의 원수들로부터 탈취한 것입니다."

이 부분에서 몇 가지 질문이 생긴다. 첫째, 다윗이 이들에게 선물을 보낸 의도는 무엇인가? 둘째, 지금은 블레셋과 이스라엘이 전쟁 중인데 하필 이때 선물을 보내야 했는가? 셋째, 왜 자기가 속한 지파인 유다 지파에게만 선물을 했을까?

언뜻 보아서는 다윗이 자기 유다 지파들에게 정치적 로비를 하는 듯이 보인다. 블레셋 군대와 싸우고 있는 사울 왕은 반드시 패할 것이고 혹시 죽음을 당할지도 모르니까 다윗이 왕이 될 것을 대비하여 미리 통치 기반을 마련해 놓아야겠다는 다윗의 의도가 숨어 있지 않은가 하는 의문이다.

다윗 하면 진실함이라는 단어가 떠오르는데 자기 민족들에게 이런 고도의 정치적 계산을 할 수 있었을까? 분명히 아니라고 본다. 탈취물이 너무 많았고 그 많은 것을 어찌할 바를 몰라 오자마자 본인이 평소 이스라엘에 있을 때 신세를 진 사람들에게 갚고 싶은 마음이 들었을 것이다. 그래서 전쟁 중이라는 때를 구별하지 못하고 자기 지인들에게 선물을 보낸 것이다. 유다 지파에게만 선물이 국한될 수밖에 없었던 것은 본인이 자란 지역이고, 사울 왕을 피해 도망한 지역이 모두 유다 지역이었기 때문이다. 척 스미스(Chuck Smith) 목사의 '사무엘 강해 설교'를 보면 선물을 보낸 지역 이름 중에 벧엘(Bethel)도 나오는데 이스라엘 한 중간인 벧엘이 아니라 유다 지역 내에 있는 또 다른 벧엘을 말하는 것이라고 한다.

만약에 정치적 의도가 있었다면 유다 지파뿐만 아니라 이스라엘 모든 지파들에게 선물을 보냈어야 했다. 전쟁 중에 그런 행동은 반역 행위나 마찬가지라고 생각할 수밖에 없다. 왜냐하면 사울 왕이 패하길 강력히 희망한다는 것이기 때문이다. 따라서 다윗의 전리품 선물은 다윗의 순수한 사례 행위였다고 결론지을 수 있다. 아울러 비록 블레셋에 망명한 신세지만 이스라엘 조국에 대한 애정을 표현할 수 있었던 유일한 방법이었을 것이다.

remember 07

위기를 기회로 만들어라

인간관계는 가식없는 마음으로 하라

★★★

그렇지만 다윗의 행동은 생각이 그리 깊었던 결정인 것 같지는 않다. 왜냐하면 이스라엘은 블레셋과의 전쟁 중이었기 때문이다. 다윗은 설마 사울이 전사하리라고는 생각하지 못했던 것 같다. 그동안 블레셋과 전쟁을 한 횟수만 해도 적지 않았으므로 그런 비슷한 것으로 생각했다. 사울 왕뿐만 아니라 자기 친구이자 형님뻘인 요나단이 죽을 것이라고는 전혀 상상도 못했던 일이었다. 그러나 이번 전쟁에서 그들은 죽음을 당하고 사울 왕조의 끝을 맺게 될 줄이야….

비록 사려 깊은 행동은 아니었지만 사례 행위가 이후에 유다 지파의 왕이 되는데 큰 역할을 하게 되었다. 세상은 자기 지혜만으로 혹은 자기의 능력만으로는 안 된다는 것을 배운다. 때로는 우리의 실수가 반전의 기회가 되기도 하고, 때로는 정말 잘한 판단이라고 생각했는데 나중에 보면 그것이 패배의 원인이 되기도 하고… 이런 사실들을 대하면서 더욱 겸손해져야 한다는 것을 배운다.

다윗이 블레셋으로 망명하여 가드에서 아기스와 함께 있었던 기간은 얼마인지 정확하지 않지만, 시글락에서 산 기간은 1년 4개월이었다(삼상 27:7). 다윗의 인생을 보면, 어떤 보이지 않는 손이 있음을 느끼지 않는가? 사울을 죽이지 않기로 작정한 다윗, 그러한 결심으로 말미암아 끊임없이 이어져야만 했던 그의 도피생활은 참으로 고달프고 힘들었지만 하나님과 가장 가까이 있었던 시간이었다.

위기 때마다 탈출구가 열리고, 판단을 잘 못하였음에도 불구하고 선으로 바꾸어 주신 하나님을 다윗은 너무나 많이 경험했다. 이제 블레셋 망명도 접을 때가 오는 것을 느끼지 않는가?

★

★

다윗이 주님께 문의하였다. "제가 이 강도들을 추격하면 따라잡을 수 있겠습니까?" 주님께서 그에게 대답하셨다. "네가 틀림없이 따라잡고, 또 틀림없이 되찾을 것이니, 추격하여라!" 다윗은 데리고 있는 부하 육백 명을 거느리고 출동하였다. 그들이 브솔 시내에 이르렀을 때에, 낙오자들이 생겨서 그 자리에 머물렀다. 그래서 브솔 시내를 건너가지 못할 만큼 지친 사람 이백 명은 그 자리에 남겨 두고, 다윗은 사백 명만을 거느리고 계속 추격하였다.(삼상 30:8~10)

and David inquired of the LORD, "Shall I pursue this raiding party? Will I overtake them?" "Pursue them," He answered. "You will certainly overtake them and succeed in the rescue." David and the six hundred men with him came to the Besor Ravine, where some stayed behind, for two hundred men were too exhausted to cross the ravine. But David and four hundred men continued the pursuit.(1 Samuel 30:8~10)

★

★

David eight!

왕이 되지만, 반쪽자리

다윗이 20살 때 골리앗과의 전투가 있었고, 그 이후 도망자의 신분으로 산 기간이 10년이다. 참을 수 없을 만큼 힘들었던 인내의 시간이었다. 다윗은 자기 지인들에게 전리품을 보내고 나서, 왠지 마음에 안정이 안되었다. 마음은 블레셋과 이스라엘의 전투장에 가 있었다. 블레셋 군대가 그 어느 때보다 강한 군사력을 가지고 있었는데, 이스라엘 군대가 잘 싸우고 있는지 걱정이 되었다. 그래도 별일이야 생기겠는가라고 생각하며 스스로 마음을 가라앉히면서 이틀을 보냈다. 사흘째 되는 날에, 한 젊은이가 헐레벌떡 전장에서 달려와서 긴급한 소식을 전한다.

"무슨 일이 일어났는지, 어서 나에게 알려라."
"사울 임금님과 요나단 왕자님이 전사하셨습니다."

이 말을 듣자마자 다윗은 슬픔을 억누르지 못하여 자기 옷을 잡아 찢었다. 다윗은 통곡하며 해가 질 때까지 금식하였다. 10여 년 동안 사울의 추격을 피하며 갖은 고생을 다 당했으면서도 여전히 사울에 대한 충성심이 변하지 않았다. 다윗은 지나간 10여 년의 세월을 생각했다. 사울 왕의 죽음 앞에 인생의 덧없음을 깊이 느꼈다. 형제와 같이 지냈고, 그렇게도 다윗을 아껴 주었던 요나단과의 시간들이 다시 오지 못한다는 사실이 더욱 더 눈물을 흐르게 했다.

자기할 바를 묵묵히 하기만 하라

그렇게 며칠 지내다가, 기도 중에 유다 지역의 중심지인 헤브론(Hebron)으로 가기로 결심하고 이제 터전을 시글락에서 헤브론으로 옮겼다. 다윗은 자기의 부하들과 그들의 온 가족을 데리고 헤브론의 여러 성읍에서 살았다. 유다 지파 사람들은 다윗이 헤브론으로 옮긴 소식을 듣게 되었다. 그들은 지난 10여 년 동안 계속해서 친지들을 통해 다윗의 소식을 들어 왔었다. 사울의 뒤를 이을 만한 지도자는 다윗밖에 없다고 생각해왔다. 유다 지파 사람들은 뜻을 모았으며, 지도자들이 다윗을 찾아갔다. 그리고 다윗에게 말하기를 자기들의 왕이 되어 달라고 했다.

다윗은 드디어 신분이 180도 탈바꿈을 하게 되었다. 특히 주목할 것은 다윗 정부는 자기를 따르던 군사들을 활용하여, 군사적으로 밀어붙여 정권을 세운 것이 아니라 유다 지파 지도자들이 적극 추대한, 즉 국민들에 의해 추대된 왕이자 민주주의적 대통령이었다. 물론 다윗은 15살 때 이미 사무엘(Samuel)이라는 선지자에 의해 이스라엘의 미래 지도자로서 임명 받았지만, 국민이 원하지 않으면 왕이 될 수 없었다. 그는 하늘에서 임명한 왕이자 국민이 뽑은 대통령이 되었다. 한편 다윗이 왕이 된지 5년쯤 뒤에 사울의 군대장관이었던 아브넬은 사울의 아들인 이스보셋(Ish-Bosheth)을 북쪽 이스라엘의 왕으로 추대했다. 다윗의 통치 영역이 유다 지역에만 국한된 것을 볼 수 있으며, 한 이스라엘에 두 임금의 시대가 된 것이다. 이스라엘 국민들은 남과 북으로 갈리는 분단국가로 살아가야 하는 시작인 셈이었다.

여기에 몇 가지 의문이 생긴다. 사울 왕국 당시 이스라엘의 수도는 기브온(Gibeon)이었다. 왜 다윗은 수도 기브온으로 가서 왕권을 접수 받지 않았을까? 왜 유다 지파 사람들은 다른 지파들과 협상하지 않고 단독으로 다윗을 왕으로 보위했을까?

모든 권력이라는 것이 기득권이 존재한다. 당시 사울 왕국의 2인자는 아브넬 군대장관이었다. 더군다나 사울의 아들도 살아 있었다. 사울의 신하들은 본인들의 기득권을 버리는 것이 쉽지 않았다.

그런 이유 때문인지는 몰라도 하나님은 다윗으로 하여금 이스라엘의 수도이자 사울의 고향인 기브온으로 가지 말고 헤브론으로 가라고 하셨다. 반대로 생각하면 유다 지역 사람들은 모든 지파가 하나 되려는 노력을 기울이지 않았던 것은 분명한 것 같다. 그들은 다윗이 헤브론으로 오자 온 이스라엘의 왕으로 삼았다기보다는 유다 사람의 왕으로 삼았다. 유다 지파의 좁은 소견이라고밖에 설명할 길이 없다. 이 책의 뒷부분에서도 다루겠지만, 그것은 나중에 다윗 왕이 아들 압살롬에게 반역을 당했을 때, 쿠데타를 평정한 후의 일 처리 방법에서도 여실히 증명된다(삼하 19장).

서두르지 말라

다윗이 위대한 것은 절대로 서두르지 않았다는 것이다. 불안해하지도 않았고, 북쪽 지역 사람들에게 어떤 군사적 침략 행동도 취하지 않았고, 그저 기다렸다. 때가 이를 때까지 기다린다는 것은 보통의 도를 쌓아서 되는 것이 아니다. 우리는 종종 추진하는 뜻은 좋은데, 때를 앞서 갈 때가 많다. "빨리빨리" 정신이 흐르기 때문인지 몰라도, 그래서 일을 그르치거나 시도하지 않은 편이 훨씬 나을 뻔할 때가 많다. 그리고 한꺼번에 완전한 것을 원하는 우를 범한다. 천리 길도 한걸음부터라는 오래된 진리를 망각할 때가 많다. 하나씩 고치다 보면 결국 어느 순간 뒤돌아보면 너무나 많은 것들이 변해 왔음을 보고는 깜짝 놀라곤 한다.

욕심으로 일을 서두르다 보면 편법이 나온다. 자기의 이기적 목적을 달성하기 위해 정치 공작을 할 것이고, 때론 모략도 일삼고 온갖 불법과 심지어 폭력도 불사할 수 있다. 다윗은 사람들이 자기들의 왕이 되어 달라고 할 때까지 그저 열심히 살아갔을 뿐이었다. 다윗의 이런 기다림의 정치가 필요하다.

사람들이 다윗을 찾아오게 되기까지는 그 이유가 있었을 것이다. 일반적으로 사람들이 지도자로 추대할 때 몇 가지 조건들을 따져본다. 다윗에게 사람들이 몰린 이유는 무엇이었을까? 다윗이 지도자로서 갖추고 있는 것들이 무엇이 있었을까? 첫 번째는, 그의 인덕이었다. 그는 하나님이 맘에 들어 할 정도로 하나님을 사랑한 사람이었다. 그리고 부하들을 보살피기를 아주 자상하고 가족같이 해왔다. 부하들을 공평하게 대하는 것은 이미 전 장에서 증명이 되었다. 사람들이 몰려오는 두 번째 원인은 그의 지도력이었다. 그는 두려움보다는 용기 있는 자였고, 솔직하였고, 약한 자에 대한 긍휼정신이 있었다. 그리고 어려움을 극복하고 따르는 자들에게 희망을 주는 지도자였다.

사람들은 저마다 지도자에 대한 기대를 가지고 있는데, 지금까지의 다윗을 보면 이스라엘 백성들의 지도자가 되는데 너무나 적격이었다. 게다가 국민 영웅이지 않았는가? 백성들의 여론을 쉽게 하나로 모을 수 있는 가장 적절한 사람이었다.

적과의 인연도 절대로 나쁘게 만들지 말라

또 한 가지 신기한 것이 있다. 그렇게 자주 싸웠던 블레셋과의 전쟁이 남북이 통일될 때까지 약 7년 동안 없었다는 것이다. 왜 그랬을까? 그전에는 너무나 자주 싸웠고 늘 긴장감이 맴돌았었다. 이것에 대해 두 가지 생각을 해볼 수 있다.

첫 번째는, 이스라엘이 블레셋의 속국이 되었을 수도 있다. 그래서 조공을 바쳐야 하는… 그러나 이런 기록은 성경에 없으니 알 길이 없다. 상식적으로 생각하면 속국이 되었어야 한다.

두 번째는, 속국이 아니었더라도 다윗은 블레셋 아기스 왕의 시글락 성읍의 장관이었을 뿐만 아니라 아기스 왕의 경호 대장으로 임명 받을 만큼 신임이 두터웠던 사람이었다. 다윗이 시글락을 나와서 헤브론으로 올 때 그저 자기 부하들과 식솔들만 데리고 왔을까? 아무런 후속 조치도 안 해놓고? 아마 다윗은 자신의 고향으로 돌아오면서 분명히 아기스와 만나서 자세한 상황 설명을 했을 것이다. 당시에는 다윗이 유다 지파의 왕이 될 것도 기대하지 못한 상황이었다.

앞으로 자기 인생이 어떻게 전개될지 모르는 가운데, 다윗은 무조건 하나님의 뜻을 따라 헤브론으로 향하려고 했었기 때문에 어떤 정치적 타협은 없었을 것이다. 예를 들어 다윗을 분봉 왕으로, 즉 블레셋의 괴뢰정권을 만들어 다윗을 수반으로 만들어주겠다는 그런 정치적 협상을 할 개재도 아니었다. 다윗은 단지 타향살이를 접고 싶었을 뿐이다. 앞으로 이루어질 바를 알지 못했다고 볼 수 있는 근거는, 다윗이 헤브론으로 가고 나서야 유다 지파 사람들은 다윗을 왕으로 추대했다. 만약에 미리 왕이 될 것을 예약하고 갔다면, 유다 지파 지도자들이 다윗이 있었던 블레셋 땅 가드로 추대 대표들이 왔어야 했다.

우리가 유추할 수 있는 것은 다윗과 가드 왕의 친분 때문에 가드 왕이 살아 있는 동안에는 다윗을 공격하지 않았을 것이다. 즉, 다윗은 가드 왕과 화친 정책을 폈다고 볼 수 있다.

권력향수에 집착하지 말라

한편 남북 분단의 주역을 담당한 아브넬은 어떤 사람이었는가? 아브넬에 대해 연구해 보고 싶어진다. 가장 다루기 힘든 사람이 사실 처세술에 능한 사람이다. 아브넬이 바로 그런 사람으로서, 기회주의적인 기질을 다분히 가지고 있었다. 그는 다윗이 유다 사람들의 왕이 된 후 한 번도 다윗을 찾아오지 않았다. 다윗이 왕이 되자마자 북쪽 지역을 대표하는 왕을 세운 것도 아니었다. 아마 본인이 사울 왕의 대리 역할을 해왔는지도 모른다. 그러다가 대세를 보니 허수아비 왕을 두는 것이 유리하다 싶어 아브넬은 아무 힘없는 이스보셋을 왕으로 몇 년 뒤쯤 세웠음이 분명하다. 왜냐하면 이스보셋이 북이스라엘의 왕으로 있었던 햇수가 두 해라고 기록하고 있기 때문이다(삼하 2:10). 이것이 권력을 끝까지 향수하고 싶어 하는 자의 속성이다. 지역 분파는 아랑곳 하지 않는다. 국민이 하나 되는 것이 중요한 것이 아니라 자기의 이해관계가 제1의 우선순위가 되어 버린다.

우리나라도 아브넬과 같이 권력을 추구했던 사람이 있다. 이승만 대통령시절 그와 함께 했던 이기붕 씨라고 할 수 있다. 그는 미국 선교사의 통역관으로 있다가, 선교사의 도움으로 미국에 유학을 하게 되었다. 대학을 졸업한 뒤 뉴욕에서 거주하다가 서울에 돌아와 이승만의 비서로 활동하기 시작해서 서울시장, 국방부장관 등 승승장구하였다. 권력의 맛에 푹 빠진 그는 이승만 대통령의 종신 집권을 위하여 초대 대통령의 중임 제한 철폐를 골자로 하는 개헌안을 발의하였고, 일단 부결된 것을 사사오입으로 번복, 가결을 강행하였다. 1960년 3월 15일, 대통령 선거 때 부정선거로 부통령에 당선되었다. 그러나 3 · 15 부정선거에 항의하는 4 · 19혁명이 일어나 결국 부통령을 사임하고, 피신해 있다가 당시 육군 장교였던 아들이 권총을 쏘아 전 가족이 자살하였다.

절대 권력자의 우산 아래 권력을 향수하려고 하는 자가 어디 이기붕 씨 뿐이겠는가? 지금 이 시대뿐만 아니라 앞으로도 계속하여 나올 것이다. 자기 이해관계 속에서 사는 사람만큼 불쌍한 사람이 없다. 예수님께서도 "자기 목숨을 얻고자 하는 자는 잃을 것이요, 나를 위하여 자기 목숨을 잃는 자는 얻으리라"(마 10:39)고 분명히 말씀하셨다. 예수님을 위해 목숨을 버리는 삶이 될 때 진정으로 얻는 삶이 된다.

통일은 힘의 불균형에서 온다

아브넬의 인생을 좀더 관찰해보자. 그는 이름도 없었던 사울의 아들 이스보셋을 모시고 북쪽 지역의 왕으로 삼았다. 두 왕의 세력 간에 싸움이 계속되어 왔으리라는 것은 성경을 안 봐도 짐작을 할 수 있다. 한 마디로 세력 싸움이었다. 군사력을 동원한 영향력 싸움이었다.

세월이 흐를수록 이스보셋 편은 쇠퇴하고 다윗 쪽은 흥하여 갔다. 군사력도 마찬가지였다. 그 와중에 아브넬은 왕이라는 소리만 안 들었지 실질 권력은 아브넬에게 모두 넘어와 있었다. 심지어 사울 왕의 후궁이었던 여인도 범하는 일까지 자행했다. 이 당시 왕의 아내나 첩을 범한다는 것은 본인이 왕이라는 것을 선포하는 것이나 다름없었다. 다윗 왕의 아들 압살롬도 쿠데타를 일으킨 뒤 잠시 승리의 맛을 볼 때 가장 먼저 한 것이 아버지의 후궁을 범했었다. 모두 자기가 왕이라는 것을 만인에게 보여주는 행위였다(삼하 16:22). 이스보셋이 이 일에 대해 따져 물었을 때 오히려 적반하장

격으로 아브넬이 이스보셋을 나무랐다. 이때부터 아브넬은 다른 음모를 꾸몄다. 본인이 계속 살아남고 권력을 행사할 수 있는 방향으로….

아브넬은 결국 다윗을 찾아가서 남북통일에 대해 협상한다. 엄연히 북쪽의 수반이 이스보셋임에도 불구하고 그와는 아무런 상의도 하지 않고… 다윗에게 아브넬이 밀사를 보내 제시했던 첫 번째 말이 무엇인지 아는가?

"이 나라가 누구의 것입니까? 그러니 임금님이 저와 언약을 세우시면, 내가 임금님의 편이 되어서, 온 이스라엘이 임금님에게 돌아가도록 하겠습니다."

한 마디로 아브넬은 자기 안전과 한자리 하는 것에 대한 담보를 요구하면서 남북통일에 대한 협상을 하자고 하는 것이다. 아브넬은 민족과 국가를 생각하지 않고 자기 이만 탐하는 전형적인 사람이었다.

때를 기다리는 통일정책을 세워라

이스라엘이 통일이 될 때의 상황을 살펴보면, 한반도 통일정책에 대한 힌트를 얻을 수도 있다. 다윗은 북쪽 왕인 이스보셋에게 절대로 화친조약을 맺자는 제안을 한 적이 없었다. 나라 이름도 유다라고 지은 바도 없었다. 그저 이스라엘이었을 뿐이다. 한 이스라엘에 왕이 둘이 있는 상황이고 내전이 가끔 있었을 뿐이다. 물론 오늘날의 한반도와 같이 분계선이 있어 민간 교류의 장벽이 있었던 것은 아니었다. 그러나 이스라엘의 통일과정에서 몇 가지 통일정책의 특징을 발견할 수 있다.

첫째는, 군사적 경제적 우위를 유지했다. 사무엘하 3장 1절에 보면, 남과 북 사이에 전쟁이 오래 계속되었는데 남쪽은 점점 강해지고, 북쪽은 점점 더 약해졌다고 한다. 언제나 우위를 차지하는 것은 너무나도 중요하다.

둘째는, 때를 기다리는 통일정책을 썼다. 바람직한 통일 정책은 상대방을 인정하되 기다림으로 승부해야 한다. 조급하면 협상에서 항상 지게 되어 있다. 언제까지 기다리느냐? 상대편에서 통일협상을 하러 올 때까지. 궁한 쪽이 반드시 카드를 들고 나오게 되어 있다. 궁하지 않으면 절대로 나오지 않는다. 누가 나오겠는가? 권력을 잡고 있는데 아쉬울 게 없고, 이대로 잘 살아가고 있는데 굳이 통일을 할 이유가 없는 것이다. 인간의 이기성을 생각해보라.

셋째는, 상대측에 대한 체제 위협을 하지 않았다. 북측을 그대로 인정하였다. 아마 다윗이 마음만 먹었으면 무력으로 북쪽을 점령하고 통일을 시켰을 것이다. 그러나 그는 그렇게 하지 않았다. 왜 그랬을까? 같은 골육의 형제로서 무력으로 통일을 하고 나면 같은 민족 간의 우열의식과 북측의 상대적 소외감은 이루 말할 수 없었을 것이다.

이스라엘의 남북통일 과정에서 우리가 배울 것이 하나 있다. 통일은 언제 될지 모른다는 것이다. 또한 순식간에 이루어질 수도 있다는 것이다. 상대방의 체제가 무너지길 바라지 않아도, 위협하지 않아도, 반대쪽 사람들이 몰려오면 어떻게 하겠는가? 통일을 어떻게 이룩하자는 양측 간의 통일 방안도 중요하지만, 불시에 통일이 될 것을 준비해야 한다. 상황은 다르지만, 임진왜란 때 왜군이 침략하지 않을 것이라고 믿고 태만했다가 얼마나 피해가 심했는가? 마찬가지로 급작스런 통일을 준비해 놓는 것도 나쁠 것이 없을 것이다. 이것을 준비하지 않은 채 갑작스럽게 발생하게 되면 너무나 사회적 혼란이 심할 수도 있다.

앞으로 우리나라도 통일이 될 것을 바라본다. 그런데 어떻게 통일 될 것인가? 또 어떻게 통일이 되는 게 바람직한 통일인가? 각계에서 여러 가지 주장을 내놓고 있다. 정부가 달라질 때마다 통일정책도 바뀐다. 그렇다고 무력으로 통일하는 것은 통일 뒤에도 너무나 큰 상처를 가지고 살아가야 한다. 양측 모두 자기에게 유리하게 통일정책을 펼치는 것은 당연하다. 상대방이 망하길 바라거나, 적어도 내 측은 절대 망하지 않을 것이라고 믿는다. 분명한 것은 링컨의 말과 같이 하나님께서 우리와 함께 하시기를 기도하는 자의 편이 아니라 누가 하나님의 편에 서느냐 하는 것이 중요하다.

북한은 1인 절대 권력자가 신격화되어 있는 나라이다. 남한의 과거 개발 독재 권력과 그 성질이 완전히 다르다. 현재까지도 북한에서 가장 집착하는 정책은 "절대화, 무조건성, 신격화"라는 우상화 정책인데, 간단히 말하면 수령은 신적 존재로서 무오류의 지도자라는 것이다. 이렇게 한 사람에 대한 우상화로 인한 일반 국민의 기본 권리가 무시되는 상황은 적어도 하나님이 원하는 것이 아니다. 그들은 하나님의 편에 서기를 거절한 상태라는 것은 분명하다. 이러한 상황이라면 그들의 미래는 어둠 그 자체라고밖에 말할 수 없다. 실로 안타까운 일이다.

한편, 북한이 반드시 무너질 것이라고 보기만은 어렵다. 왜냐하면 망하지 않는 길이 있기 때문이다. 중국이 덩샤오핑 때부터 나라 사정이 좋아지기 시작했는데, 그가 가장 먼저 시도한 것 중의 하나가 종교를 어느 정도는 자유화시켰다는 것이다. 이것은 마오쩌둥이 신의 자리에 있었지만, 이제 주석(최고 지도자)은 더 이상 신이 아니라는 선언이었다. 종교의 제한적 개방은 중국의 변화 중 가장 획기적인 변화였다. 경제개방 정책보다도 더 대담한 결단이었다. 왜냐하면 종교개방은 체제변화에 도전을 받을 수 있는 매우 위험스러운 시도이기 때문이다. 북한 지도자도 이러한 결단이 필요하다. 이것은 지금 시행하고자 하는 대외 개방보다도 더욱 중요한 것이다. 하나님께서 인류에게 주신 기본 권리인 자유와 평등을 누릴 수 있는 기본 인권만 회복되면 땀 흘린 만큼 잘 살아갈 수 있다. 하나님께서는 남이나 북이나 똑 같은 해와 비를 내려주시지 않는가?

이스라엘이 솔로몬 이후에 르호보암(Rehoboam)의 유다와 여로보암(Jeroboam)의 이스라엘로 나뉘게 되었는데, 그때도 분명히 하나님이 북의 여로보암에게도 약속하셨다(왕상 11:38).

"나의 종 다윗이 한 것과 같이, 내가 명령한 모든 것을 따르고, 내가 가르친 대로 살며, 내 율례와 명령을 지켜서, 내가 보는 앞에서 바르게 살면, 내가 너와 함께 있을 것이며, 내가 다윗 왕조를 견고하게 세운 것 같이, 네 왕조도 견고하게 세워서, 이스라엘을 너에게 맡기겠다."

우리는 과거 이스라엘의 통일과정에서 다윗의 정책과 행동을 분석해 봄으로 한반도 통일에 대한 교훈을 얻으면 좋겠다는 바램이다. 물론 시대가 다르고 상황이 다르기 때문에 똑 같은 방법이 적용되지는 못하겠지만, 몇 가지 중요한 원리를 접하게 되었다.

remember 09

자기할 바를 묵묵히 하기만 하라

서두르지 말라

적과의 인연도 절대로 나쁘게 만들지 말라

권력향수에 집착하지 말라

통일은 힘의 불균형에서 온다

때를 기다리는 통일정책을 세워라

이스라엘의 통일이 눈앞에 다가 오고 있다. 아브넬이 어떤 통일 플랜을 가져올지 아주 궁금하다. 기다리는 다윗의 마음은 어떨까? 다윗은 아브넬이 제시한 담보조건을 어떻게 할 것인가?

“다윗은 자기의 부하들과 그들의 온 가족을 데리고 함께 올라가서,
헤브론의 여러 성읍에서 살도록 하였다. 유다 사람들이 찾아와서,
그 곳에서 다윗에게 기름을 부어서, 유다 사람의 왕으로 삼았다.”
(삼하 2:3~4)

“David also took the men who were with him, each with his family, and they settled in Hebron and its towns. Then the men of Judah came to Hebron and there they anointed David king over the house of Judah.” (2 Samuel 2:3 ~ 4)

David nine!

남북통일이 이루어지다

"좋소! 내가 장군이 제안한 조건을 수락하오.
내가 장군과 언약을 세우겠소."

다윗이 아브넬의 조건을 수락하고, 둘은 계약을 맺었다. 아마 남북통일이 되면 군대총사령관에 대한 자리를 확보해 놓았을 것 같다. 아브넬이 다윗의 약속을 받은 뒤에, 북이스라엘의 여러 지파 지도자들과 이야기 했다. 또 사울 왕이 속한 베냐민(Benjamin) 지파 사람들과도 상의했다. 그리고 남북통일하는 것에 대해 의결을 했다. 지금으로 말하면, 북이스라엘 국회와도 같은 역할이었다. 북과

남이 통일할 것에 대한 가결을 한 것이다. 여기서도 역시 허수아비 이스보셋 왕은 배제되었다. 아브넬을 단장으로 한 북측 대표들은 남측의 수도 헤브론에 도착했다.

이제 통일협상은 시작되었다. 남쪽의 대표는 다윗이 직접 나섰다. 말이 통일 협상이지 북측의 항복문서를 전달받는 회담이라고 볼 수 있다. 다윗은 통일 이스라엘을 생각하며 너무나 기뻤고, 북쪽 대표단을 위해 크게 잔치를 베풀었다. 잔치가 끝난 후 아브넬은 다윗에게 말했다.

"이제 북으로 돌아가서 북이스라엘 전체 사람들을 모아놓고 다윗 임금님께 선서를 하도록 하겠습니다. 임금님께서 원하시는 어느 곳에서나 왕이 되셔서 다스리실 수 있습니다."

이것은 뉴스 중 특종 감이었다. 다윗이 얼마나 기뻤을까? 사람들의 입에서 입으로 이 호외는 온 이스라엘 국민들에게 전달되었다.

걸림돌이 될 수 있는 내부 장애요소를 사전 고려하라

이제 통일축제 전국민대회만 열면 온전한 다윗 왕국이 시작되는 것이었다. 그러나 남측에도 북측의 아브넬 같은 사람이 있었다는 것을 미처 생각하지 못했다. 남쪽에도 제2인자가 있었다. 바로 다윗 왕의 누이의 아들 요압(Joab) 장군이었다. 지금까지 다윗의 가장 옆에서 보필하고 전쟁에 임한 훌륭한 장군이었다. 그러나 요압과 아브넬은 어떤 관계인가? 2인자간의 정적일 뿐만 아니라 요압의 동생이 아브넬에게 창에 찔려 죽었던 과거가 있다. 한 마디로 집안의 원수였다. 그런 원수가 자기 자리를 밀어내고 통일 이스라엘의 군대총사령관이 되는 것을 그는 눈뜨고 볼 수 없었다. 요압은 원정 갔다가 돌아오는 길에 통일 협상이 진행되었다는 소식을 들었고, 막 협상을 끝내고 아브넬이 북으로 돌아가고 있다는 소식을 듣고는 다윗 왕에게 찾아가서 따져 물었다.

"그가 대표단을 이끌고 온 것은 진짜 통일의지가 있었던 것이 아니라 우리를 속이기 위해서 왔습니다. 한 마디로 평화를 가장한 정보탐색을 위해서 온 것이었습니다."

분단 상황에서 서로 적대적 관계에 있는 만큼 이런 생각은 충분히 있을 수 있는 일이었다. 그리고 나서 요압은 다윗의 허락도 없이 아브넬을 다시 헤브론으로 돌아오도록 전령을 보냈다. 아브넬은 요압이 할 얘기가 있다고 하니 다시 헤브론으로 돌아온 것이다. 그리고 요압은 성문 안 인적이 없는 곳에서 아브넬의 배를 찔러 암살해 버렸다. 남북통일이 눈앞에서 물거품으로 사라지는 순간이었다.

요압이 아브넬을 살해한 이유는 몇 가지로 정리할 수 있다. 첫째는, 동생에 대한 복수심이었다. 둘째는, 평소 지켜보아 왔던 아브넬에 대한 불신이었다. 셋째는, 아브넬이 군대총사령관이 되면 요압이 아브넬 밑의 부하가 되는 것인데 용납할 수 없었다. 넷째는, 통일이라는 국가 대사를 논의하는 협상 테이블에 본인이 없었다는 섭섭함 때문이었다. 결국 요압의 행동은 온 국민들에게는 다윗이 아브넬을 죽였다는 오해를 받게 되는 결과를 초래했다. 다윗이 암살을 지령한 것으로 생각하는 것은 지극히 당연한 것이다.

그렇지만 통일이라는 역사적 순간이 다가옴에도 불구하고 자기의 주장대로 행동하는 요압은 분명 어리석은 자였다. 요압같이 나라를 먼저 생각하는 것이 아니라 개인의 이해관계를 먼저 생각하는 것은 참으로 안타까운 일이었다. 요압은 후손들에게 용서받지 못할 우를 범하고 만 것이다.

최악의 경우에도 순수함을 지켜라

다윗은 상대방의 말에 대해 모두 순수하게 믿는 타입이다. 말할 때도 정치적인 표현을 하는 대신에 늘 마음에 있는 것을 그대로 표현하는 타입이라는 뜻이다. 그래서 다윗은 아브넬의 죽음에 대한 애도를 하는데 자식이 죽은 것 같이 슬퍼했다. 식음을 전폐하면서 울어댔다. 국민들을 어떻게 설득해야겠다는 전략을 생각하기 보다는 다윗은 통일의 위업을 달성할 수 있었던 아브넬에 대한 비통함으로 몇 날 몇 밤을 보냈다.

그때서야 비로소 국민들은 다윗의 순수한 마음을 알고, 아브넬이 죽게 된 것이 다윗 때문이 아니라는 것을 깨닫게 되었다. 또 한 번 순수는 통한다는 진리를 우리에게 알려준다. 보통 사람 같았으면 이러한 상황에 부닥치게 되면, 본인이 죽이지 않았다는 것을 자꾸 말하고 그 상황을 설명하려고 했을 것이다. 중요한 것은 사람들이 믿느냐 믿지 않느냐가 더 중요하다. 아무리 진실을 얘기해도 사람들이 믿지 않을 수 있는 상황으로 보이는 것이 얼마든지 있다. 오히려 남에게 죄를 덮어씌우려고 한다는 욕만 더 먹게 되는 경우가 많다. 오해를 받고 있을 때는 진심을 행동으로 보여주라.

북이스라엘은 아브넬이 요압에게 살해당한 뒤부터 정국이 몹시 불안정했다. 왕인 이스보셋은 거의 허수아비였고, 사실 실권은 아브넬이 쥐고 있었기 때문에 혼돈스럽고 국민이 불안해하는 것은 당연했다. 북측의 각 지파 별 지도자들도 아브넬의 영향권에 있었기 때문에 나라에 대한 걱정도 컸다. 정국 불안에 대한 해결을 하지 못하는 이스보셋에 대해서 불만의 세력이 드디어 행동을 개시했다. 이스보셋을 가까이에서 경호하고 있던 군대 지휘관 두 명이 그가 낮잠 자는 틈을 이용해 암살을 감행한 것이다.

목자(Shepherd)형 지도자가 되어라

정국의 소용돌이 속에서 유일한 해결책은 다시 통일대표단을 구성하여 다윗에게 찾아가는 것이었다. 그리고 다윗에게 항복문서를 전달하는 것이었다. 그래서 다시 각 지파 지도자들이 모여 만장일치로 통일을 추진키로 재 가결하였으며, 대표들이 다시 남측의 다윗 왕을 찾아왔다. 그리고는 다음과 같이 그들의 뜻을 다윗에게 올렸다.

"우리는 임금님과 한 골육입니다. 우리 이스라엘 백성들의 목자가 되어 주시고, 통치자가 되어 주십시오."

다윗은 이들과 통일 이스라엘의 통치구조, 양측의 기대치 등 구체적으로 협상을 마무리 짓고 통일기념 축제를 거행했다. 이때 참여한 각 12지파의 군인들만 거의 30만 명을 상회했고, 3일 동안 먹고 마시며 헤브론에서 머물렀다(대상 12:23~40). 이렇게 하여 남북이 통일되는 위대한 역사가 이루어지게 되었다. 다윗이 남쪽 유다 사람들의 왕이 된지 7년 반이 되었을 때이다.

통치자의 중요한 덕목을 여기서 가르쳐준다. 바로 백성들의 목자가 되는 것이다. 그럼 목자적 대통령의 역할은 무엇인가? 우선 보호자일 것이다. 국민의 안전을 지키는 책임을 지는 것이다. 목자가 양들이 풀을 뜯어먹기 좋은 목초가 있는 곳으로 인도하듯, 백성들을 좋은 환경에서 잘 살아가도록 환경을 만들어 가는 것이다. 또 목자적 대통령의 자세는 어떠해야 하는가? 양을 위해 자기의 목숨을 아끼지 아니하듯, 자기 생명처럼 백성을 그렇게 여기는 것이다. 목자는 양들을 인도하여 좋은 길로 나가도록 방향을 제시한다. 즉, 목자형 지도자는 국민이 나아갈 비전을 제시한다.

존 맥스웰(John Maxwell)은 그의 저서, '열매 맺는 지도자' 에서 다음과 같이 말했다. 우리에게 너무나 중요한 진리이다.

"우리는 사람들과 함께 일을 할 수도 있고, 반대로 그들과 전쟁을 벌일 수도 있다. 우리는 쟁기가 될 수도 있고, 불도저가 될 수도 있다. 쟁기로는 땅을 일구어 고르게 한 후, 종자를 경작하기에 합당하게 만든다. 불도저는 땅을 문질러 깎고 방해물들을 옆으로 치워버린다. 쟁기와 불도저는 한 가지로 유용한 기구이지만, 전자는 경작시키는 반면, 후자는 결단을 낸다. 쟁기형의 지도자는 사람들 속에서 경작되기를 기다리는 보고(treasure)를 찾아내지만, 불도저 타입의 지도자는 사람들 속에서 파괴되어야 할 방해물을 본다. 당신은 경작자가 되라!"

불도저와 같이 방해가 되는 것은 치워버리고 이상적인 사회를 만들겠다는 것은 목표를 위해 과정을 무시하는 것이나 다름없다. 사람들이 같은 마음으로 신나게 일하게 만들어 주는 것은 지도자의 몫이다. 우리에게는 쟁기형 지도자가 필요하다. 치유와 희망을 통해 국가를 이끌어 나가는 목자적 리더십(Shepherd Leadership)이 중요하다. 특히 통일국가가 되면 사람들을 목자의 심정으로 사랑하며 지도할 수 있는 대통령이 절대적으로 필요하다.

링컨은 그가 두 번째 대통령으로 취임할 때 연설문을 통하여서 국민들에게 목자와 같은 심정으로 호소하였다.

"누구에게도 원한 갖지 말고, 모든 이를 사랑하는 마음으로, 하나님께서 우리더러 보게 하신 그 정의로움에 대한 굳은 확신을 가지고, 우리에게 안겨진 일을 끝내기 위해, 이 나라의 상처를 꿰매기 위해, 이 전쟁의 부담을 짊어져야 하는 사람과 그의 미망인과 고아가 된 그의 아이를 돌보기 위해, 우리들 사이의 그리고 모든 나라들과의 정의롭고 영원한 평화를 소중히 하고 성취하기 위해, 우리 모두 매진합시다."

remember 09

내부 장애요소를 사전 고려하라

최악의 경우에도 순수함을 지켜라

목자(shepher)형 지도자가 되어라

통일이 되면 당신이 제일 먼저 하고 싶은 것은 무엇인가? 대동강에서 수영 한 번 해보는 것인가, 아니면 북측 처녀와 혹은 총각과 결혼 하는 것인가? 등 각자 처한 상황에 따라 다를 수 있다. 그렇다면 당신이 대통령이라면…?

★

★

이스라엘의 모든 지파가 헤브론으로 다윗을 찾아가서 말하였다.

"우리는 임금님과 한 골육입니다.

전에 사울이 왕이 되어서 우리를 다스릴 때에, 이스라엘 군대를 거느리고 출전하였다가 다시 데리고 돌아오신 분이 바로 임금님이십니다.

그리고 주님께서 '네가 나의 백성 이스라엘의 목자가 될 것이며, 네가 이스라엘의 통치자가 될 것이다' 하고 말씀하실 때에도 바로 임금님을 가리켜 말씀하신 것입니다."(삼하 5:1~2)

All the tribes of Israel came to David at Hebron and said, "We are your own flesh and blood. In the past, while Saul was king over us, you were the one who led Israel on their military campaigns. And the LORD said to you, 'You will shepherd my people Israel, and you will become their ruler.' " (2 Samuel 5:1 ~ 2)

★

★

David ten!

통일국가의 최우선 과업, 대동단결

남북이 통일되면 가장 먼저 해야 할 일이 무엇일까? 온 국민이 일치단결하도록 마음을 모으는 것이다. 다윗은 실행 계획에 들어갔다. 그 중에서 수도의 변경은 불가피했다. 왜냐하면 헤브론은 유다 지역을 대표하는 도시였고, 기브온과 마하나임(Mahanaim)은 북쪽을 대표하는 도시였기 때문에 제3의 도시로의 수도 이전 계획을 세워야 했다. 여기서 다윗은 예상을 뛰어넘는 일을 벌였다. 그때까지만 해도 예루살렘은 가나안 민족 중의 하나였던 여부스(Jebus) 민족이라는 사람들이 점령해서 살았고 사방이 이스라엘이지만 이 지역만은 이스라엘 땅이 아니었다.

이곳은 이스라엘의 중앙에 위치한 높은 지대였고 주위의 산들에 둘러싸인 요새였다. 이곳은 북쪽 지역과 남쪽 지역 사이의 중간 지대로써 모든 지파들이 쉽게 왕래할 수 있는 지역이었다. 다윗은 이 장소를 얻기 위하여 이 요새에 살고 있는 여부스 사람들을 점령해야 했다. 여러 세기 동안 난공불락의 성이었다.

여부스 사람들은 이스라엘이 가나안을 정복하기 전부터 예루살렘과 그 주변 산간 지역에 거주해 왔던 민족이었다. 이들은 여호수아 당시 이스라엘 민족의 침공을 받아 일시적으로 패배했지만, 완전히 정복당하지는 않았다. 그 후 사사 시대에 이르러 유다 및 베냐민 지파의 자손들도 그들을 완전히 쫓아내지 못했기 때문에 그들은 점차 세력을 확보하고 마침내 예루살렘을 그들의 방어 기지로 삼게 되었다. 여부스는 한때 예루살렘의 또 다른 이름으로 사용되기도 했다.

다윗병법 중 두더지 작전을 실시하다

여부스 사람들은 다윗이 자신들을 이길 수 없을 것이라고 생각했다. 그들이 이렇게 생각할 수 있었던 이유는 예루살렘이 정복하기에 매우 어려운 요새이었기 때문이다. 예루살렘은 당시 가나안을 남북으로 연결시켜 주던 주요 도로에서 멀리 떨어져 있었으며, 남쪽과 동쪽의 성벽은 절벽과도 같은 가파른 언덕에 세워져 있었고,

그 주변에는 외적의 침입을 막아 주는 골짜기들이 있었다. 그러므로 여부스 사람들은 자신만만하게 다윗을 조롱할 수 있었다. 다리 저는 사람이나 눈먼 사람들도 다윗 군대를 무찌를 수 있을 것이라고 장담하며 기고만장 했었다. 한 마디로 눈감고도 다윗 군대를 이길 것이라는 호언장담이었다.

다윗은 우선 지형 탐사에 들어갔고 공격할 수 있는 곳을 찾아 나가기 시작 했다. 드디어 다윗은 공격 루트를 찾았다. 예루살렘 동쪽의 기드론 계곡(Kidron Valley)에 있는 기혼 샘(Gihon spring)은 천연 샘으로 예루살렘 주변의 유일한 수원지였다. 이것은 성 밖에 있었지만 이 샘물에서 지하수로를 통하여 성안으로 물을 길어 올 수가 있게 되어 있었다. 그래서 여부스 사람들은 전쟁 중이라 할지라도 성 밖으로 나가 물을 기르지 않아도 되었고 지하수로를 통하여 얼마든지 물을 공급받을 수 있었다.

여부스 사람들은 이스라엘 군대가 이곳으로 공격해 올 것이라고는 상상도 못했다. 터널을 통하여 들어오기조차 너무나 어려운 일이었기 때문에 이곳에 대한 방어는 소홀할 수밖에 없었다. 그러나 다윗은 상대방의 예상을 항상 뛰어 넘는 제갈공명 같은 지략이 넘치는 전쟁영웅이었고, 자기 군대 병사들을 격려하며 제일 먼저 여부스 군을 죽이는 자에게 군대총사령관이 될 것임을 약속하며 물을 나르는 이 터널을 통하여 공격할 것을 명령했다. 일명 두더지 작전이었다.

1860년대에 고고학자 워렌(Warren)이라는 사람이 이 터널을 발견하였는데 기혼 샘으로부터 성안의 터널 입구까지 총 길이가 69미터이고 깊이만 41미터라고 한다. (아래의 그림은 그들이 발견한 터널을 보여준다) 이 터널은 기혼 샘으로부터 물 공급 터널, 수직터널, 수평 커브 터널, 계단터널, 그리고 터널 입구로 구성되어 있었다. 요압 군대는 600명의 게릴라전에 뛰어난 병사들이 있었고, 이들이 기혼 샘으로부터 터널을 이동하여 암벽을 타고 올라가 드디어 여부스 성안에 침입하는데 성공하였으며, 마침내 예루살렘 산성을 점령하였다.

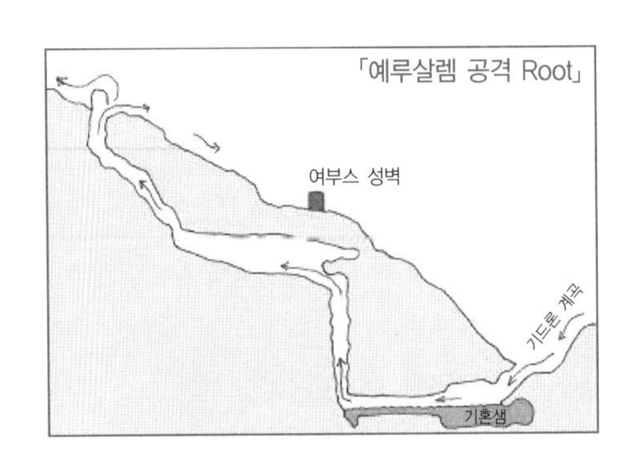

제2차 세계대전 당시 연합군의 아이젠하워(Dwight Eisenhower) 사령관을 기억할 것이다. 아이젠하워는 독일군을 공격하기 위해 프랑스의 노르망디(Normandie) 상륙 작전을 감행했다. 연합군은 거짓 상륙지점을 사전에 고의로 유포함으로써 독일군을 교란시켰다. 거짓 상륙지점은 영국과 도버 해협을 마주보고 있는 프랑스 해안 지역이었는데, 이곳은 영국과 최단 거리의 지점이어서 그럴듯해 보였던 것이다. 결국 독일군은 그 주변에 두터운 방어벽을 구축하였고, 노르망디 지역은 상대적으로 적은 방어벽을 구축하게 된 것이다. 또 이 지역은 조수간만의 차가 살인적으로 크다는 것과 기상 상태가 변화무쌍하기 때문에 노르망디를 공격 루트로 삼는다는 것은 비상식적이었다.

당시 독일군은 설마 이곳으로 공격하지는 않을 것이라는 생각으로 경계를 소홀히 했다가 연합군의 기습 공격을 당했다. 그것을 발판으로 연합군은 프랑스 등지에서 독일군을 몰아내고 제2차 세계대전을 승리로 이끌 수 있었다. 노르망디 상륙 작전으로 치명타를 입은 독일의 히틀러는 1945년 4월 30일 자살하고 말았다.

연합군 측이 이 상륙 작전에서 독일군을 누를 수 있었던 결정적인 요인은 바로 효과적인 날씨 정보의 활용이었다. 당시 독일군은 연합군 상륙 날짜인 1944년 6월 6일 노르망디의 날씨가 악천후가 전개될 것으로 예상했다. 해안 경비가 허술할 수밖에 없었던 것이다. 반면 연합군은 이 날이 상륙 작전을 펴기에는 최적의 날씨가 될 것으로 내다봤다. 상륙 전 당일의 날씨는 연합군이 예측한 그대로였고, 결국 승리는 연합군의 것이었다. 주목할 점은 당시 상륙전이 감행된 날을 제외하고 한 주 내내 폭풍우가 계속 노르망디 해안에 몰아 닥쳤다는 것이다. 기가 막힌 예보였던 것이다. 당시 독일군은 악천후로 인해 상륙 날짜도 늦춰질 것이라 예상했었다.

아이젠하워가 이끄는 연합군은 이 노르망디 상륙 작전을 아마 다윗의 예루살렘 공격 작전에서 배운 듯하다. 상대방이 방심하거나 경계가 가장 허술한 곳을 따라서 공격하는 방법, 그것이 바로 "다윗병법"이었던 것이다.

양쪽을 포용하도록 정치수도를 옮겨라

다윗은 승리의 기념으로 그 성 이름을 다윗성이라 하였고, 드디어 통일 이스라엘의 수도가 되었다. 그럼 왜 수도를 예루살렘으로 했을까? 우선 수도를 남측의 헤브론으로 계속 고집할 수 없었다. 그러면 계속하여 북쪽 지파 사람들의 반발을 잠재울 수가 없었다. 북측 사람들이 차별대우를 받는다는 피해 의식에 사로잡혀 있을 가능성이 있었다. 그래서 다윗은 어느 지파에도 속해 있지 않은 곳을 선택했고, 각 지파의 연합 전술을 시도했다. 예루살렘이 역사의 전면에 등장하기 시작한 것이다. 다윗이 헤브론에서 예루살렘으로 수도를 옮기려고 한 또 다른 이유는, 고지에 자리 잡고 있는 천연적인 방어 요새, 예루살렘 동쪽에 있는 기혼 샘으로 인한 수원지를 확보할 수 있었기 때문이었다.

모든 국민의 지지를 얻기 위해서는 자신의 기득권을 버릴 때 과감해야 한다. 국가의 화합과 단결이라는 명제를 달성하기 위해 자기의 기반이 되는 것을 아까워 하지 말아야 한다.

수도 이전의 문제는 그렇게 간단한 것이 아니다. 지역 간의 이해관계가 첨예하게 대립될 수 있다. 사람들은 국가를 생각하기에 앞서 자신의 이해관계를 생각한다.

• 통일 이스라엘의 수도 이전

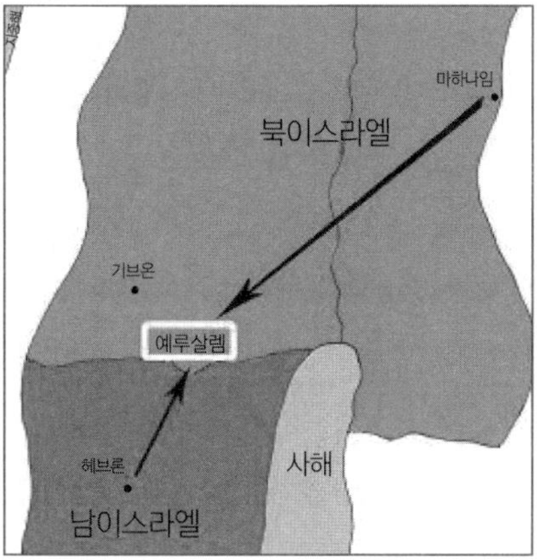

「기븐온:사울 왕국 수도 / 마하나임:북 이스라엘 수도 / 헤브론:남 이스라엘 수도」

어느 한쪽이 득을 보고, 다른 한쪽은 손해를 본다면 그것은 결코 바람직하지 않다. 갈등이 너무나 오래 가게 되어 있다. 그토록 없어지길 바라는 지역주의만 형성된다. 앞으로 우리나라가 수도를 옮길 절호의 기회는 통일이 된 이후이다. 그 지역을 북도, 남도 아닌 중간 지역으로 한다면 서로 간에 이동하기도 쉽고 소외감도 서로 느끼지 않으며 대등한 국민 관계로 발전하게 된다. 수도 이전 추진에 있어서 염두에 두어야 할 것은 그 방향이 전국민 화합과 균형발전에 있어야 한다.

가치관을 통일시켜라

다윗이 국민 화합을 위해 또 하나의 프로젝트를 계획했다. 다윗은 예루살렘을 행정적, 정치적 수도에서 한 단계 업그레이드 시키고 싶었다. 모든 이스라엘 국민들의 마음을 한군데로 모을 수 있는 사업이었다. 바로 영적 수도(Spiritual Capital) 건설이었다.

영적 수도가 되기 위해서는 언약궤(Ark of the covenant)가 없어서는 안되었다. 언약궤란 주효하게 십계명 돌판이 들어 있는 법궤로써 성막에 보관되어 있었다. 여기서 성막이란 이스라엘 백성들이 이집트 탈출 이후부터 솔로몬의 성전이 지어질 때까지 이스라엘 백성이 제사를 지냈던 천막을 말한다. 언약궤는 이스라엘의 광야생활 때에 그들의 쉴 곳을 찾을 때까지 그들 앞에서 행진했다. 또 여호수아(Joshua)와 백성들이 요단강(Jordan river)을 건널 때도, 여리고를 함락시킬 때에도 참여했었다. 간단히 말하면, 언약궤는 하나님께서 우리와 함께 하신다는 심벌(symbol)이라고 이해하면 된다. 이스라엘 사람들을 종교적으로 하나로 묶는데는 언약궤가 필수적이었다.

그 언약궤는 당시 예루살렘에서 서쪽으로 약 16㎞ 가량 떨어진 작은 마을에 오랫동안 안치되어 있었다. 블레셋 사람들에게 빼앗겼었던 이 법궤는 이스라엘로 돌려 보내지던 중 그 마을의 한 촌부의 집에 70년이나 머물고 있었다. 그것을 이제 다윗이 그 촌부의 집에서 예루살렘에 성막을 짓고 거기에 옮겨 놓고자 하였던 것이다.

모든 백성이 옮겨오는 것을 좋아했으나, 웬일인지 운반과정에서 사람이 죽는 불상사가 있었다. 다윗은 추진하던 일을 멈추고 하나님이 진노하신 원인분석에 들어갔다. 언약궤를 운반할 때 수레를 이용했는데, 거기에 잘못이 있었다는 것을 발견했다. 언약궤는 수레로 운반하는 것이 아니라 제사 직무를 맡은 레위(Levi) 지파만이 언약궤를 메어서 운반해야 했던 것이다(출 25:14).

"지난번에는 여러분이 메지 않았으므로, 주 우리 하나님께서 우리를 치셨습니다. 우리가 그분께 규례대로 하지 않아서 그렇게 된 것입니다."

다윗은 2차 시도에서 제사장인 아비아달(Abiathar)과 사독(Zadok)에게 이렇게 말하면서 절대 이번에는 실수하면 안 된다는 것을 강조했다. 마침내 그들은 언약궤를 규례대로 예루살렘까지 안전하게 운반하였다. 이를 본 다윗은 너무나 기뻐 펄쩍 뛰며 아래의 몸이 보일 정도로 춤을 추어 댔다.

한 가지 의문이 생긴다. 그렇다면 이 시대는 여러 종교가 혼재되어 있는 다원 사회인데 어떻게 해야 우리나라의 가치관 통일이 이루어질 수 있을까? 모든 사람에게 기독교를 강요할 수도 없고, 또 기독교를 종교로 가지고 있다고 해서 그 사람으로부터 선한 것이 나온다고 보장할 수도 없는 것이다. 어느 시대를 막론하고 종교와 문화를 막론하고 우리가 아니 나 개인이 추구해야 할 가치가 있다.

하나님께서 원하시는 보편적 가치라고도 말할 수 있다. 그것은 "정직(truthfulness)"이라고 말하고 싶다.

싱가포르의 리콴유는 1959년 국민소득 400달러의 빈곤 국가의 총리를 맡아 1990년 총리직에서 물러날 때 1만2천 달러의 국민소득 국가로 만들었으며, 그 동력으로 현재는 3만 달러에 이르는 선진국가가 되었다. 그가 쓴 책, '내가 걸어온 일류국가의 길' 에서 한국의 노태우 대통령과 1988년 대화한 내용을 소개하고 있다. 노태우 대통령은 어떻게 리콴유 총리가 선거에서 계속 승리하며 그토록 오랫동안 집권할 수 있었는지 그 비결을 물었다고 한다. 리콴유 총리의 답변은 너무나도 우리에게 시사하는 바가 크다.

"나는 싱가포르 국민들이 내가 거짓말을 하지 않고, 국민들의 이익을 추구하기 위해 성실하게 노력한다는 사실을 알고 있기 때문이다. … 국민으로부터 신뢰를 얻기 위해, 나는 스스로 믿지 않는 일에 대해서는 전혀 말하지 않았고, 우리 국민들은 차츰 내가 정직하고 진지한 사람이라는 사실을 알게 되었으며, 그것은 바로 나의 가장 강력한 정치적인 밑천이 되었다."

그리고 두 번째 추구해야 할 가치는 "나눔(sharing)"이다. 예수님께서 하신 "하나님을 사랑하고 네 이웃을 네 몸과 같이 사랑하라"는 말씀이 우리에게 절실히 필요하다. 남과 북이 통일이 되면 서로 나누는 것이 없다면 진정으로 통일된 것이 아니다. 이 두 가지는 하나님께서 모든 우리에게 요구하고 계시는 것이다. 정직함과 나눔의 정신은 한 개인, 가정, 교회, 국가 공동체가 지녀야 할 필수 가치이다.

상대측이 소외당하지 않도록 노력하라

다윗에겐 하나 되기 위한 과업이 한 가지 더 남아 있었다. 사울왕의 가족들에 대한 처우 방침이었다. 다윗은 사울의 집안에 남은 자를 수소문하여 찾기 시작했다. 가장 친한 친구였던 요나단의 아들 므비보셋(Mephibosheth)이 살아있음을 알게 되었다. 다윗은 그를 데려오도록 했고, 므비보셋은 다윗 왕 앞에서 몹시 떨었다. 왜냐하면 사울이라는 정적의 손자였기 때문에 혹시 처형당하지 않을까 걱정이 심했던 것 같다. 사울이 다윗을 죽이려고 했던 것을 생각하면, 단단히 벌을 줘도 시원치 않았겠지만 그는 과거의 잘못과 섭섭함을 잊어버린 지 오래다. 과거사를 청산하되 덮어버렸다기보다는 철저히 용서하기로 결심한바 오래였다.

다윗은 이내 므비보셋을 안심시키고 사울 왕과 그 온 집안이 소유했던 땅을 그에게 주었을 뿐만 아니라 자기와 같은 식탁에서 밥을 먹는 혜택을 부여했다. 이러한 다윗의 행동이 결국 북쪽 사람들에게 보여졌고, 자기들도 동일하게 대우받는다는 민심을 형성하게 되었다.

★

remember 10

양쪽을 포용하도록 정치수도를 옮겨라

가치관을 통일시켜라

상대측이 소외당하지 않도록 노력하라

다윗은 이와 같이 통일 후 행정수도를 옮김으로 지역화합을 도모했고, 언약궤를 옮김으로 가치관의 영적 통일을 이루려고 했으며, 정적들에 대한 관대한 정책을 펼침으로 인덕의 왕이 되었다. 한반도 통일 대통령이 나올 때 어떤 사람이 되어야 할까? 다윗과 같은 사람이 되었으면 참 좋겠다. 남과 북이라는 지역 간의 갈등과 상처를 봉합하고, 이념과 사상이 너무나 달라 세계관이 하나 되지 못해 국민정서가 양분되는 것을 막도록 어떤 정신적 통일을 이룰 수 있어야 한다. 그리고 정치적으로 흡수당한 세력들을 잘 포용할 수 있는 사람이어야 할 것이다.

국민대동단결이 되면, 그 다음 단계는 무엇일까? 하나된 힘을 모아서 어디엔가 써야 하는데, 다윗이 선택한 것은 이스라엘 백성을 외세의 침입 위협으로부터 보호하는 것이었다. 그 동안 이스라엘 민족은 블레셋, 모압(Moab), 암몬(Ammon) 등 숱한 외세의 침략 속에서 불안한 생활을 해왔다. 이러한 불안함에서 벗어나고 백성들이 평안하게 살아가는 것을 꿈꾸는 것은 나라의 수반이라면 반드시 품어야 할 것이다. 그는 모든 위협세력을 제거하는 사명을 띠며 부수적으로 영토 확장을 가져오게 된다.

깃발 들고 말 달리는 다윗과 병사들이 눈에 그려진다. 다윗은 그야말로 열정의 사나이였다. 쉬지 않고 달리는 말과 같았다.

★

★

"내가 스스로를 보아도 천한 사람처럼 보이지만,
주님을 찬양하는 일 때문이라면, 이보다 더 낮아지고 싶소."
(삼하 6:22)

"I will become even more undignified than this, and I will be humiliated in my own eyes. But by these slave girls you spoke of, I will be held in honor." (2 Samuel 6:22)

★

★

David eleven!

다윗의 승승장구, 그리고…

다윗이 통일 이스라엘의 왕으로 추대 받을 때, 가장 긴장을 했던 나라는 다름 아닌 블레셋이었다. 반쪽 왕으로 있을 때는 블레셋이 다윗을 공격하지 않았다. 그런데 통일이 되면서 블레셋은 공격을 재개해 왔다. 도대체 그 동안 왜 잠자코 있다가 이렇게 다시 공격을 재개하는 것일까? 그 해답으로 역대상 11장 17절을 보면, 블레셋 군대가 사울과의 전쟁에서 이긴 후에 계속하여 이스라엘에 영향력을 미치기 위해 베들레헴에 주둔군을 두었다. 이것은 남부는 방치했더라도 적어도 북부 이스라엘은 블레셋이 일부 지배하고 있었다는 것을 알 수 있다.

남북이 통일되었다는 소식은 블레셋에게는 아주 불쾌한 소식이었다. 그 동안 옛정을 생각해서 눈감아 주었던 다윗에 대해 괘심하기도 했고, 미래의 위협적 존재가 되어 버린 것이다. 그래서 블레셋은 이스라엘의 통일이 완전하게 이루어지기 전에 다시 양분시켜놓기 위해 공격을 했던 것이다.

통일 이스라엘, 강대국으로 변모하다

다윗은 일을 시작할 때 언제나 가장 먼저 하는 것이 있었다. 바로 하나님의 뜻을 구하는 것이었다. 이것은 지도자에게 중요한 덕목이다. 링컨도 남북전쟁이 한참 진행되고 있을 때, 비록 자신이 속한 북군의 상황이 아주 나빠졌을 때도 그는 기도하는 시간을 잊지 않았다. 아마 다윗으로부터 배운 것이 아닌가 생각된다. 다윗이 드디어 블레셋과 일전을 치르기로 결심하고 그의 군대의 요새인 아둘람으로 갔다. 블레셋 군대는 이미 르바임(Rephaim) 골짜기에 진을 치고 결전을 기다리고 있었다. 다윗도 실로 오랜만에 해보는 전투였다. 그래도 옛날 감각이 죽지는 않았다. 여기서 다윗은 대승을 거두고 블레셋 군대는 대패하였다.

블레셋은 또 한 번 전열을 가다듬어 다윗을 공격하였다. 이번에 다윗은 전면전 대신에 지형지물을 이용한 은폐작전으로 숨어 있다가 적기에 후면에서 기습공격을 감행했다. 이전에 승리했다고 해서 계속 똑 같은 방법으로 승리하려고 하는 것은 패전의 지름길이다. 언제나 전쟁에서는 상대방의 예상을 초월해야 한다. 다윗은 전통적 전면전에 이은 기습적인 후면공격에서도 승리하였고, 블레셋 군대는 줄행랑치며 도망칠 수밖에 없었으며 더 이상 다윗 군대의 적수가 되지 못하였다. 후에는 자신의 망명지였던 가드 지역을 공격하여 아예 블레셋 영토로부터 이스라엘 영토로 편입시켰다(대상 18:1).

다윗의 군대가 이렇게 강한 전쟁능력을 가지고 있었던 이유는 몇 가지가 있다. 첫째는, 기동대를 가지고 있었다. 바로 600명의 아둘람 동굴에서 훈련받은 정예부대원들이었다. 둘째는, 그에게는 충성스런 부하가 많았다. 심지어 전쟁 중에 다윗이 갈증이 난다는 소리를 듣고 생명을 걸고 블레셋의 진영에까지 침투하여 우물물을 가져오는 군인들까지 있었다. 물론 다윗은 목숨을 돌아보지 않고 갔던 사람들의 충성에 감동하여 물을 마시지 않았다. 셋째는, 다윗은 병법의 대가였다.

블레셋이 맥을 못 추게 되었던 또 하나의 이유가 있다. 사무엘상 13장 19절에 보면, 블레셋 민족이 이스라엘의 청동을 능가하는 철을 독점하고 있었으며, 이스라엘 사람들은 칼이나 창을 만들지 못했다. 그래서 늘 이스라엘이 블레셋과의 전쟁에서 힘들었다. 그러나 다윗 시대에 들어와 그런 염려가 없어졌다. 왜 그랬을까? 가장 유력한 단서는 다윗이 블레셋에 망명해 있는 동안 철기문화를 갖게 되었고, 돌아올 때 철기 제작기술을 모두 가져온 듯하다. 그래서 블레셋과 대등한 기술을 확보했다.

다윗이 왕이 되기 전까지만 해도 주변 여러 나라들 중에 가장 강국은 블레셋이었다. 이스라엘 사람들도 늘 블레셋 때문에 100년 이상을 긴장 가운데 살아야 했었다. 가장 강력한 위협 세력이 제거되었다는 것은 이스라엘 민족에게 있어서는 역사적으로 처음 맞이하는 상황이었으니 이스라엘 백성들은 입에 침이 마르도록 다윗을 칭송하였을 것은 뻔한 이치이다.

어디 그뿐인가? 블레셋과의 전쟁에서 승리했다는 소식은 주변국들에게 삽시간에 퍼지게 되었고 각 나라들은 겁에 질려 두려워했을 것이다. 반면에 이스라엘 군에게는 자신감을 심어 주는 전쟁이었다. 사울 왕이 졌던 것에 대한 자존심 회복도 되었고, 더 이상 블레셋의 위협으로 인한 공포 가운데 살지 않아도 되었다. 이스라엘에게는 오랜만에 맛보는 승리의 기쁨이었고 평화의 시작이었다.

다윗이 37세에 통일왕국이 된 이후 49세까지 다윗 왕국은 황금기를 이루었다. 서쪽으로는 블레셋을, 동쪽으로는 모압과 암몬을, 북쪽으로는 시리아를, 그리고 남쪽으로는 에돔(Edom)과 아말렉을 모두 정복했다. 영토는 사울 때보다 무려 10배나 커졌다. 주변

국가들을 모두 속국으로 만들어 조공을 바치게 하였다. 주변에 있었던 모든 대적들을 그야말로 요절을 낸 상태였다.

다윗은 국내적으로는 안정적으로 그 동안 각 지파 별로 흩어져 있던 국론을 하나로 모으고, 모든 우상들을 불태워 버려 우상숭배가 발을 들여놓지 못하게 되었으며, 국제적으로는 이스라엘이 자타가 공인 하는 대제국으로 변모한 것이다.

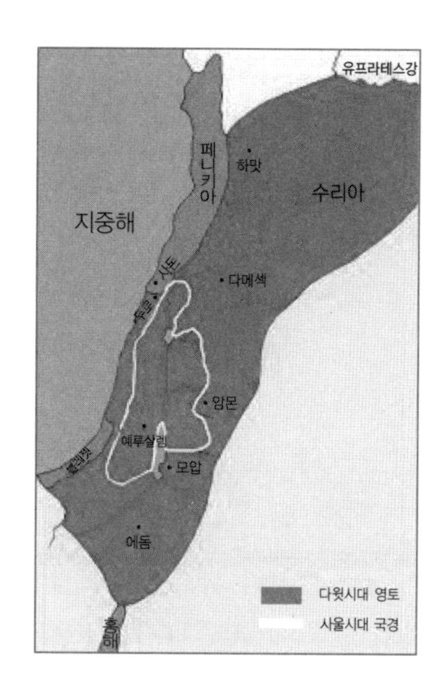

가만히 들어오는 암세포를 경계하라

또 한 가지 흥미로운 사실을 발견하게 된다. 다윗이 공격하지 않은 두 나라가 있었다. 이들 나라의 이름은 페니키아(Phoenicia)의 두로(Tyre)와 하맛(Hamath)이었다. 이스라엘 북부 연안 지역에 위치한 도시 국가들이었다. 왜 다윗은 이들을 침공하지 않았을까? 모두 이유가 있었다. 그들은 정복당하기 전에 미리 눈치를 채고 선물을 다발로 싸 들고 다윗에게 조공을 바쳤다. 하맛은 은, 금, 놋을 많이 가져왔고(삼하 8:10), 이스라엘의 속국이 되었다.

페니키아의 두로 지역 왕은 사절단과 함께 백향목과 목수와 석수를 보내어서 다윗에게 궁궐을 지어주었다. 두로가 궁궐을 지어줄 만큼 부유한 나라였던 것 같다. 엄청난 물질 공세적 외교력을 발휘했음을 알 수 있다. 다윗이 예루살렘 공격전에는 전혀 찾아오지 않았던 인물이 바로 두로 왕이었다. 그런데 어떻게 하루아침에 이렇게 놀라운 선물 공세를 할 수 있을까? 주변국이 모두 이스라엘에 폐하였기에 침공을 당하기 전에 손쓰자는 목적이 있었을 것이다.

두로와 이스라엘간의 관계에 대하여 알아보자. 두로의 히람(Hiram) 왕은 통일 이스라엘의 두 왕인 다윗과 솔로몬 시대의 인물이다. 두로는 페니키아 지역 최남단에 있던 가장 유명한 항구 도시였다. 당시 두로는 이스라엘에 비해 해상 무역과 건축술 등의 물질문명이 발달한 반면 농산물이 부족하였다. 두로 왕은 다윗 왕궁을 지어 주었을 뿐만 아니라 다윗이 죽은 뒤 솔로몬이 즉위할 때도 자기 축하 사절단을 파견하는 정성까지 보였다. 솔로몬이 성전건축을 위해 목재를 보내줄 것을 부탁하자, 두로 왕은 목재와 건축 기술자를 지원했다. 이에 대한 답례로 솔로몬은 밀과 기름 등 농산물을 두로 왕 히람에게 보내주었다.

이렇게 양국 간에 긴밀한 협력 관계를 이어갔는데, 그렇다면 무엇이 도대체 위험했을까? 그 위험 요소는 배후에 철저히 숨겨져 있었다. 히람의 건축기술자들이 예루살렘에 파견되어 성전건축을 담당함으로써 가나안의 바알(Baal) 우상을 섬기는 우상숭배가 예루살렘에 유입되는 통로를 열기도 했다. 바알 외에 두로의 수호신은 섹스의 여신 아스다롯(Ashtoreth)이었다. 문란한 성관계를 조장하는 이 음란의 여신은 사람들을 사치와 허영에 빠지게 하였다.

두로의 향락과 물질문화의 영향으로 이스라엘 사람들은 후에 하나님보다는 우상숭배에 빠져 도덕적 타락의 길에 들어설 뿐만 아니라 나라가 갈리고 나중에는 양쪽 모두 멸망하게 된다. 하나님께서는 이미 신명기 7장 16절을 통하여 모세와 이스라엘 백성들에게 경고한 바 있다. 그들과의 타협이 결국 이스라엘 백성들에게 올무가 될 것이라고….

여기에는 중요한 교훈이 있다. 모든 선물이 특히 나라와 나라 사이에는 반드시 숨은 목적이 있다. 그것은 자국의 이익을 위해 동맹관계를 맺는 것이다. 처음에 물질공세에 대해 심각하게 생각하지 않고 받아들이면, 결국 큰 화를 자초하게 될 수 있다는 것이다. 정당차원에서도 여당이나 야당에 정치 헌금하는 이유도 대부분 좀더 나은 동맹관계를 맺기 위한 것이다. 많은 정치인이 물질에 자유롭지 못해 정치생명까지 위협받는 경우가 발생하는 이유가 무엇인가?

암세포는 자기도 모르게 침입한다. 어느 순간 암을 확인 하는 날에는 돌이킬 수 없는 지경에 이르게 된다. 죽음을 기다리는 수밖에 없는 것이다. 높은 자리에 앉자마자 찾아오는 사람을 조심하라. 그들은 겉으로는 존경의 표시를 하지만 속으로는 음흉한 궤계를 가지고 있을지 모른다. 멋모르고 받아먹었다가는 암 덩어리가 되어서 온 몸에 퍼지게 될 것이다.

다음 세대를 위한 발판 역할을 하라

다윗은 본인이 화려한 궁전에서 지내고, 하나님께 제사 지내는 성막은 말 그대로 텐트였기 때문에 늘 하나님께 미안해했다. 그래서 평소 소원이 성전(Temple)을 건축하는 것이었다. 그러나 하나님은 다윗에게 성전을 짓는 것을 허락하지 않으셨기 때문에 다윗은 성전을 지을 재물들을 위해, 정복지로부터 가져온 금, 은, 놋 등을 모아들이기 시작했다. 다윗의 다음 왕이 성전건축을 할 수 있도록 준비를 차곡차곡 해나간 것이다. 차기 왕이 좀더 쉽게 성전을 건축하도록 치밀하게 준비해 나간 것이다. 다음 세대를 위한 토양을 만드는 다윗을 발견할 수 있다.

다윗은 탁월한 용사였을 뿐만 아니라 훌륭한 국가 경영자였다. 또한 공평하고 의로운 법으로 백성을 다스렸다. 내각을 구성하여 나라의 체계를 견고히 해 나갔다. 그 내각 구성을 살펴보면 군대총사령관, 역사기록관, 제사장, 서기관, 외인부대 관리의 순으로 기록하고 있다(삼하 8:15~18). 한 마디로 다윗 왕국은 군인정권이었다. 반면에 솔로몬 시대의 고급관리를 나열한 순서를 보면 종교, 행정, 군대 순서를 보인다(왕상 4:1~6). 즉, 솔로몬 시대는 다윗이 피 흘려 이룩해 놓은 국가의 안정화를 꾀하는 문인시대였다는 것을 알 수 있다.

보통 지도자들이 가지고 있는 좋지 않은 습성이 하나 있다. 바로 자기 시대에 완결판을 지으려고 하는 것이다. 본인이 눈 떠 있는 동안 결과를 보고 싶어 하고, 무리하게 일을 추진하여 본인의 치적으로 만들고 싶어 한다. 그러나 시대별로 자기에게 맡겨진 일이 있다. 우리나라의 경우 건국의 기초를 놓고, 경제를 부흥시키고, 민주화를 통한 선진국 틀을 만들고, 빈부의 격차를 해소하는 사회 안정을 꾀하고, 첨단과학의 나라를 만들고, 정의와 공의가 넘치는 사회로 이어져가는 시대별 역할이 있다. 너무 욕심 내지 말고 다음 대통령이 일을 잘 하도록 기틀을 만들어주는 섬기는 지도자(Servant Leader)가 되어야 한다. 이런 의미에서 다윗은 진정으로 섬기는 왕이었다.

remember 11

가만히 들어오는 암세포를 경계하라

다음 세대를 위한 발판 역할을 하라

당시에 성전을 짓는다는 것은 이스라엘 역사에 길이길이 남을 업적이 될 것임에도 불구하고, 그 영광을 솔로몬에게 넘겨주었다. 차기 지도자가 일을 잘 하도록 건축 재료, 설계도, 재정 등 준비할 수 있는 만큼 모두 준비해 두었다. 시작은 내가 하지만 영광은 그 다음 지도자가 얻도록 하는 이런 멋있는 지도자를 우리는 바라고 있다. 당대에 통일이라는 위대한 과업을 이루려고 하기보다는 다음 대통령이 이룰 수 있도록 기반을 만들어 놓는 것은 섬기는 지도자만이 할 수 있는 것이다.

다윗은 섬기는 지도자였을 뿐만 아니라 때론 군사 전문가로, 때론 목자형 지도자로, 때로는 비전 제시자로, 때로는 조정형 지도자로 하나님과 백성들을 위해 정치를 했다. 이런 지도자를 다면적 지도자(Multifold Leader)로 명명하고 싶다. 개척자는 어느 조직을 보더라도 다면적 지도자의 요건을 갖추어야 한다.

20년 동안 시행하는 것마다 잘되고, 전쟁할 때마다 승리하고, 국민들은 모두다 잘살고… 조금 여유를 갖는 다윗을 상상해 본다. 그 다음 찾아오는 손님은 무엇이라고 생각하는가?

★

★

"다윗이 왕이 되어서 이렇게 온 이스라엘을 다스릴 때에,

그는 언제나 자기의 백성 모두를 공평하고 의로운 법으로 다스렸다."

(삼하 8:15)

"David reigned over all Israel, doing what was just and right for all his people." (2 Samuel 8:15)

★

★

David twelve!

복이 독이 될 때

다윗의 나이가 50이 가까웠다. 지난 30년이 화살같이 빨리 지나갔다. 20대는 도피생활, 30대는 남측 왕에 이은 남북통일, 40대는 종횡무진으로 달리며 영토 확장사업으로 잠시도 쉴 시간이 없었다. 이러한 노력의 결과로 어느덧 나라도 안정되었으며, 백성들도 행복하게 살게 되었다. 외세의 침략에 시달리지 않아도 될 정도로 강국으로 변했다. 지겹도록 전장에 직접 나가 진두지휘 했지만 이제는 자기가 나가지 않아도 전쟁은 걱정 없었다. 그야말로 평화 그 자체였다. 행복해 하는 백성들을 내려다 볼 때 너무나도 감개무량했다. 그러나 이때가 중요하다. 사람은 여유가 생기면 생각이 빗

나가게 된다.

하나님을 업신여기지 말라

다윗이 뜻밖의 사고를 냈다. 바로 우리아(Uriah)의 아내 밧세바(Bathsheba)와의 불륜 행각이었다. 밧세바와의 사건은 다윗의 인생에 큰 전환점을 갖게 되는데, 이때부터 가문이 수치스런 집안의 표본이 되어버린다. 밧세바와 서로 로맨스를 벌인 것이 나쁘다는 것은 알겠는데 왕으로서 그 정도의 파워는 있지 않았겠는가? 이전에 다윗의 부인이었지만 그의 도피 기간으로 인해 다른 남자의 아내가 되어 있었던 사울의 딸 미갈의 경우는 어떤가? 미갈은 이미 다른 남자와 재혼한 상태가 아닌가? 그런데도 불구하고 강제로 그 남편에게서 뺏어다가 다시 자기 아내로 삼은 전력이 있다. 만약 죄를 따지려면 이것부터 따져야 하는 것이 아닌가?

유부녀 밧세바와의 사건에 대해 하나님께서 매우 섭섭해 하셨다(삼하 12:8~9).

"내가 너 갖고 싶은 것 다 주었는데 어찌 네가 이럴 수 있느냐?"

그 다음에 하나님께서 다윗에 대한 죄목을 말씀하신다.

"너는 나를 업신여기고, 내가 악하게 여기는 일을 하였도다."

여기 "업신여긴다"는 것을 히브리 원어로 보면, "발로 짓밟다, 멸시하다, 경멸하다"란 뜻이다. 한 마디로 하나님의 마음을 구둣발로 휴지 조각 짓이겨 버리듯 하였던 것이다. 당신이 당신의 친구에게 인격적으로 짓밟혔다고 가정해 보라. 당신은 그 친구에 대해서 어떻게 생각하겠는가? 아마 당장 원수가 되든지, 다시는 얼굴도 보지 않는다든지, 속에서 끓어오르는 분노를 삭이지 못할 것이다. 다윗은 하나님의 마음을 끓어오르게 하였다. 분노가 넘치게 하였다. 하나님이 신성모독을 당했다고 해도 과언이 아니다. 하나님의 감정을 크게 훼손시키는 일을 한 다윗, 그의 트레이드 마크였던 인테그러티가 깨지는 순간이었다. 인테그러티 없는 리더십, 그것은 조작(manipulation)이 될 뿐이다.

인테그러티를 잃으면 충성스런 사람을 잃는다

인테그러티(투명하고, 진실 되고, 성실하고, 겸손한 자세)가 없어질 때, 충성된 자를 잃어버리게 된다. 밧세바의 남편 우리아 같은 사람을 하늘 아래 어디에서 구할 수 있단 말인가? 우리아가 어느 정도 충성스런 인물이었는가? 다윗이 그의 불륜 행각으로 말미암아 밧세바가 임신하게 되었다는 비보를 듣고 사실 은닉을 위해 전장에 나가있는 우리아를 집으로 돌아오게 하여 안부를 묻고는 집으로 돌아가게 하여 부인과 잠자리를 같이 하도록 꾀를 썼다. 그러나 동료들이 전쟁터에서 죽을 고생하고 있는데 어찌 양심 없이 자기만 집에 들어가 아내와 달콤한 잠을 잘 수가 있겠는가 하면서 상관인 요압 장군의 종들과 잠자리를 같이 하였다.

다윗은 자기 계획대로 안된 것을 알고 또 얕은꾀를 썼는데 이번에는 우리아를 위해 술 파티를 열어주었다. 술이 취하도록 하여 밧세바와 잠자리를 같이 하도록 하기 위한 계략이었다. 그러나 여전히 우리아는 충성심 때문에 그날 밤도 왕의 신하들과 함께 잠자리를 같이 한 것이다. 다윗은 삼류 소설가로 전락하고 만 것이었다. 이런 신실하고 충성스런 사람을 눈을 씻고 찾아보아도 찾기 힘든데, 다윗은 특단의 조치를 취하게 된다. 하나의 암살과도 같은 음모였다. 자기의 심복 요압에게 부탁하여 전쟁터에서 죽도록 일을 꾸미지 않았는가? 요압에게 보낸 편지 내용을 보자.

"너희는 우리아를, 전투가 가장 치열한 전선으로 앞세우고 나아갔다가, 너희만 그의 뒤로 물러나서, 그가 맞아서 죽게 하여라."

다윗의 의도대로 우리아는 전사하였고, 밧세바를 완전 자기 품에 안을 수 있게 되었다. 그러나 세상 일이 그리 간단하지가 않다. 그 일을 해준 사람이 바로 누구인가? 제2인자 요압이었다. 다윗의 숨은 목적을 간파한 요압은 그 때부터 다윗에 대한 존경심이 싹 사라졌을 뿐만 아니라 '너도 별 수 없는 놈이구나' 라고 생각을 하게 되었다. 결국엔 아도니야(Adonijah)라는 왕자가 다윗 말년에 반란을 일으키는데, 요압은 다윗을 버리고 반란 대열에 끼게 된다. 다윗은 우리아 뿐만 아니라 요압도 잃어버리게 된 것이다.

인테그러티는 자녀교육의 핵심요소이다

인테그러티를 잃으면 집안 가풍이 무너진다. 그것을 여실히 증명해주는 것이 다윗의 집안이다. 다윗이 정직하고 모범 가장이었을 때는 자녀들에 대한 걱정거리가 하나도 없었다. 그러나 1년 동안의 불륜 행각은 자녀들에게 악영향을 미친 것이다. '아버진 왕이니까, 간음하지 말라. 이웃을 탐하지 말라. 살인하지 말라 등등의 율법을 안 지켜도 되는구나' 라고 생각하게 만들었고, 왕자들도 그런 막강 파워를 발휘하는 분의 아들인데 별 문제가 없을 것이라고 누군들 생각하지 않겠는가? 성경의 기록에 의하면 사무엘하 13장 1절에 분명하게 언급되고 있다.

"그 뒤에 이런 일이 있었다. 다윗의 아들 압살롬에게는 아직 결혼하지 않은 아름다운 누이가 있는데, 이름은 다말(Tamar)이었다. 그런데 다윗의 다른 아들 암논(Amnon)이 그녀를 사랑하였다."

여기서 "그 뒤에"는 "다윗과 밧세바 사건 이후에"라는 뜻이다. 결국 호시탐탐 기회만 노리던 암논 왕자는 친구의 도움으로 다말 공주를 겁탈하게 된다. 그야말로 이복 남매간의 근친상간이 이루어진 것이다. 다윗의 집안은 기본적 도덕이 사라진 집안이 되어 가고 있었다. 수법이 아버지가 수단과 방법을 가리지 않고 불법을 자행한 것과 똑같지 않은가? 다말 공주의 친 오빠인 압살롬 왕자는 복수 작전에 들어갔고, 결국 암논을 죽이고 말았다. 그러나 이런 극한 상황까지 오지 않을 수 있었지만, 다윗은 리더십에 손상이 갔기 때문에 해결책을 내지 못했다. 인테그러티는 자녀교육의 핵심이다.

우리나라에도 인테그러티의 인물이 있다. 바로 도산 안창호 선생이다. 그는 육십 평생 동안 오직 조국의 독립을 위해 헌신하였다. 16살 때 한국 초기의 선교사인 언더우드(Underwood)가 세운 구세학당(현재 경신고등학교)에서 공부한 것이 그의 인생관을 바꿔 놓았다. 그는 기독교인이 되었고 계몽가가 되었다. 또한 나라의 독립을 위해서 힘을 길러야 하고 힘을 기르기 위해서는 교육을 통해서 백성들을 깨우쳐야 한다고 생각하여 점진학교, 대성학교 등을 설립한 교육자였다.

안창호 선생은 인격 및 인간 중심의 박애 사상에 뿌리를 둔 애국심으로 동포의 인간다운 삶을 위해서는 무엇이든지 양보할 수 있었고 도전할 수 있었던 지도자로 나라가 어려울 때, 우리 민족이 나아갈 길과 삶의 방향을 알려 주었다. 그의 명언 중에 "진리는 반드시 따르는 자가 있고, 정의는 반드시 이루는 날이 있다. 죽더라도 거짓이 없어라"는 말은 그의 인테그러티를 보여주는 단면이다. 그는 독립운동을 하는 와중에도 아들에게 편지를 쓰는 자상함을 가지고 있었는데, 다음은 1920년 홍콩에서 아들 필립(Philip)에게 보낸 편지이다(안병욱 외 저 '안창호평전'). 오늘날도 도산 안창호를 그 어떤 독립 운동가들보다 존경하는 이유는 바로 그의 인테그러티 때문이다.

"아들 필립에게… 너의 근본 성품이 속이지 않고 거짓말 아니 하고 진실하니 이런 때문에 다른 사람들보다 좋은 사람 되기가 쉬우리라고 생각한다. 좋은 사람됨에는 진실하고 깨끗한 것이 첫째임이라. 너는 스스로 부지런한 것과 어려운 것을 잘 견디는 것을 연습하여라…."

인테그러티를 잃으면 당당해지지 못한다

암논의 다말 강간사건을 들었을 때 다윗은 몹시 분개했었다. 그런데 그뿐이었다. 신속하게 후속 조치를 취했어야 했다. 자녀들을 불러 놓고 타이르든지, 꾸중을 하든지, 아니면 징계를 하든지… 그렇게 하지 않았기에 더욱 사태가 악화되어 압살롬이 암논을 죽이는 상황까지 다다랐다. 압살롬을 위로하고 암논을 심히 꾸중을 했어야 함에도 불구하고 방치한 결과이다. 왜 다윗은 그렇게 행동하지 않았을까? 그와 비슷한 일을 저질렀던 자신의 과거 때문에 뭐라고 충고를 해줄 수 없었을 것이다. 한 마디로 자식들에게도 말발이 먹히지 않는 것이었다.

다윗 집안의 이러한 우환은 이미 다윗이 선지자 나단(Nathan)의 책망을 듣고 회개한 뒤였다. 그러나 개인은 용서를 받았을지는 모르지만 가장으로서, 국왕으로서의 체통은 땅에 떨어질 대로 떨어졌다. 죄를 지으면 즉시 회개하라. 그러나 죄를 짓지 않도록 자기 몸을 쳐서 복종케 하는 것이 더욱 필요하다. 사람들의 주시를 받는 위치에 있는 사람은 그만큼 죄를 지을 가능성에도 더욱 많이 노출되어 있다. 지도자의 죄는 개인은 회개하고 용서받으면 되겠지만, 가정에서 시작하여 온 나라의 사람들에게 걸림돌이 된다.

이전에는 다윗이 갈등 해결을 잘 했었다. 그 예로 앞에서(제6장) 있었던 아말렉 추격 사건으로 돌아가 보자. 이미 아말렉 사람들이 자기들의 마을을 탈취하고 아내와 자식도 모두 데려간 상태였다. 다윗과 600명 군대가 추격했고 가족들을 되찾았을 뿐만 아니라 전리품을 가져왔다는 것을 기억할 것이다. 그때 벌어진 또 하나의 사건이 있었다. 600명의 추격대 중 200명은 그 이전에 3일씩이나 강행군을 한 바람에 체력이 딸려 너무나 지쳐서 시냇가에서 낙오되었다. 다윗은 나머지 400명만 데리고 아말렉을 추격하고 드디어 자기들이 잃었던 모든 것을 되찾았을 뿐만 아니라 엄청난 전리품을 가져오는 성과를 거두었다. 돌아오는 길에 400명은 시냇가에서 쉬고 있는 200명을 만나게 되었다. 400명 군인들이 이야기하기를 우리가 고생하여 얻은 전리품이니 전투에 참여하지 않은 저 200명 병사들에게는 절대 나눠주지 말고 우리끼리만 갖자고 하였다. 이때 다윗이 말한 말은 명언이었다.

"동지들, 주님께서 우리에게 선물 주신 것을 가지고, 우리가 그렇게 처리해서는 안되오. 전쟁에 나갔던 사람의 몫이나, 남아서 물건을 지킨 사람의 몫이나, 똑같아야 하오."

다윗은 이렇게 당당했고 정의감이 넘쳤던 인물이었다. 이제 힘을 잃은 다윗의 모습을 보니 너무나 안쓰럽고 가엾기까지 하다. 한 가정에서도 의로운 목소리를 내지 못하는 날개 잃은 왕을 보는 듯하여, 속으로 "힘내십시오, 다윗 왕!"이라고 외치고 싶다.

remember 12

하나님을 업신여기지 말라
인테그러티를 잃으면 충성스런 사람을 잃는다
인테그러티는 자녀교육의 핵심요소이다
인테그러티를 잃으면 당당해지지 못한다

집안에 한 번 잘못된 스피릿(Spirit)이 흐르기 시작하면, 걷잡을 수 없게 되는 것을 오늘날도 종종 발견한다. 부모가 이혼하고 자녀들은 정신적인 충격으로 고통 받고, 거기서 헤어날 방책으로 온갖 방탕한 생활을 하게 되고, 마음에 심한 분노가 있어 회복하기 쉽지 않게 된다.

다윗의 가족에 흐르는 공기가 좋지 않다. 이제 다윗의 자녀들이 무슨 망령된 일을 벌이는지 계속 지켜보자.

★

★

그 때에 다윗이 나단에게 자백하였다. "내가 주께 죄를 지었습니다."
나단이 다윗에게 말하였다. "주께서 임금님의 죄를 용서해 주실 것입니다.
그러므로 임금님은 죽지는 않으실 것입니다."(삼하 12:13)

Then David said to Nathan, "I have sinned against the LORD."
Nathan replied, "The LORD has taken away your sin.
You are not going to die." (2 Samuel 12:13)

★

★

David thirteen!

왕자의 난, 정보전쟁

"암논이 술을 마시고 기분이 좋아질 때를 잘 지켜보아라. 그러다가 내가 너희에게 암논을 쳐죽이라고 하면, 너희는 겁내지 말고 그를 죽여라. 내가 너희에게 직접 명령하는 것이니, 책임은 내가 진다. 다만, 너희는 용감하게, 주저하지 말고 해치워라!"

압살롬(Absalom)은 자기 누이의 원수를 갚기 위해 왕자들을 초청하여 잔치를 베풀고 때를 노리다가, 부하들을 시켜서 암논 왕자를 살해해 버렸다. 이것은 암논의 다말 강간 사건이 있은 지 2년이 지난 뒤였다. 그리고 압살롬은 이스라엘 바깥 나라인 장인이 거하는 지역으로 피신했고, 그곳에서 3년 동안 머물면서 세월을 보냈다. 다윗은 충격과 슬픔 가운데 세월을 보내야만 했다. 하지만 세월이 흐르면서 그 충격도 서서히 가라앉게 되었으며, 이제는 압살롬을 보고 싶은 마음이 점점 간절해졌다. 3년 동안 헤어져 있으면서 다윗은 아들에 대한 그리움이 있었지만, 누구에게도 그 속마음을 토하지 못한 채 속으로만 끙끙 앓고 있었다.

압살롬의 장인은 가나안 민족 중의 하나인 그술(Geshur) 사람들의 왕이었다. 3년 동안 그곳에서 체류하며 수련을 쌓았던 것 같지는 않다. 다윗은 본인이 젊을 때 사울 왕을 피하면서 아둘람 동굴에서 수련하였는데 반해, 압살롬은 장인 집에 가서 가나안 문화를 배워오지 않았나 싶다. 가나안 민족은 우상숭배를 지나치게 해서 하나님께 사랑받지 못하는 민족이었다. 그 이유 때문인지는 모르지만 원래 가나안 민족들이 살고 있는 가나안 땅을 모세와 여호수아에게 정복할 것을 명하셨고 이스라엘 백성들이 그 땅을 대부분 차지하게 된 것이다.

자녀문제, 바쁘다고 방임하지 말라

다윗이 압살롬을 보고 싶어 하는 것을 눈치 챈 요압은 임금님께 간청하여 압살롬을 데려오도록 했다. 그런데 다윗은 뜻밖의 행동을 했다. 그를 환영하기 보다는 왜 왔는지 모르겠다고 하면서 압살롬

얼굴도 보지 않겠다는 것이다. 이것이 바로 부자지간의 자존심 대결인 것이다. 아버지는 아들을 사랑하고 보고 싶어 함에도 불구하고, 막상 마주 대하면 "그 동안 얼마나 괴로웠니?"라는 이 한 마디를 못해서 부자관계가 호전되지 않았다. 할 수 없이 압살롬은 예루살렘 성안의 자기 집으로 돌아가 유배지 아닌 유배생활을 3년이나 더했다. 아버지를 곁에 두고도 한 번도 보지 못하는 아들은 버림받은 자식이나 다름없었다. 여기에 또 요압이 중매자 역할을 한다. 아버지를 볼 수 있도록 해주었다. 이때 아버지는 이제 화가 풀어져서 아들을 열렬히 환영하는 것이 아닌가?

그런데 웬일인가? 압살롬이 기뻐하고 감사하기는커녕 이때부터 모반을 꿈꾸며 차곡차곡 준비해 나갔다. 압살롬은 아버지 다윗과 같지 않았다. 그는 땅을 치고 눈물 흘리며 절실히 본인의 죄가 무엇인지 생각하지도 않았고, 뉘우치지도 않았다. 그는 하나님과의 관계에는 전혀 관심이 없었다. 아버지와의 관계를 회복하여 왕자의 권위를 다시 찾는 게 압살롬이 원하는 것이었다. 하나님과의 관계에는 안중에도 없었던 압살롬은 그 이후 4년 동안에 이스라엘의 민심을 완전히 자기에게 돌려놓았다. 어떻게 민심을 얻었느냐 하면, 이 당시에 재판은 왕이 직접 했는데, 압살롬은 성 입구에 서 있으면서 소송하고 판결을 받기 위해 왕을 찾아오는 사람이 있으면, 그 사람을 불러서 "지금 왕은 당신에게 공정한 판결을 내리지 못하여 도움이 되지 않을 것이요"라고 말하면서 다윗에 대한 인기를 압살롬이 가로 채 나갔다.

압살롬이 잘 못 나간 원인은 아버지로부터 받은 거절감이 가장 큰 원인이 되었을 것이다. 사람이 버림받았다는 느낌을 받게 될 때 인생을 포기하여 마구 살아가거나 그 스트레스를 해소하기 위해 마약 등으로 인생을 허비할 수도 있다. 한편으로는 거절감이 점차 분노로 변하여 아버지를 깎아 내리기 위한 작업에 들어간다.

대통령제도가 가장 긴 미국 대통령의 자녀들은 어떨까? 더그 위드(Doug Wead)는 1988년 조지 부시(George Bush) 공화당 대통령 후보의 선거 참모로 대통령 당선에 기여한 사람인데, 미국의 역대 대통령 자녀들에 대한 '대통령의 자식들' 이라는 책을 썼다. 대통령 자녀 교육에 큰 교훈을 주는 책이다. 그 책을 보게 되면 우리나라 대통령의 자녀들은 정치적 권력을 많이 탐하여 감옥에도 가는 경우도 있었지만, 미국의 대통령 자녀들은 비리 때문에 감옥에 갈 정도의 사람은 없었다.

그의 책에서 첫 번째 부자 대통령을 지낸 애덤스 가(Adams family)의 이야기가 있다. 미국 건국의 아버지인 존 애덤스(John Adams)의 장남은 외교관, 국무장관으로 활동하다 대통령이 됐지만 차남은 재산을 탕진하고 주정뱅이로 살았다. 아버지는 아들에게 "방탕한 놈, 몹쓸 놈, 짐승"이라고 저주하고, 아들은 이에 질세라

아버지에게 "악마에 홀린 미친 노인"이라는 입에 담을 수 없는 말을 했다고 한다. 이 정도면 갈 데까지 간 집안이다. 실제로 존 애덤스의 두 아들이 극과 극을 달린 것은 장남은 아버지와 여행을 다니는 등 함께 지냈지만, 차남은 7년 넘게 아버지 얼굴도 보지 못할 만큼 관심을 받지 못했다고 한다. 애덤스 대통령의 차남은 압살롬같이 방치된 인생을 살았으니 그에게 좋은 것을 기대하는 것은 욕심이다.

다윗은 솔로몬을 제외하고는 대부분 자녀들을 방임 혹은 유기한 인상이 강하다. 국정을 살펴야 하는 바쁜 일정 때문이라고 이해할 수 있지만 물리적 유기보다는 정신적 유기의 잘못이 크다고 할 수 있다. 솔로몬은 전쟁터에 한 번 나가보지 않은 채 자랐다. 궁궐에서 아버지의 어린 시절과는 달리 귀족으로 너무나 풍족하게 자랐다. 그래서 아들 솔로몬의 최대 약점은 온갖 보석을 좋아하는 고급 사치병이었다. 그 유명한 링컨 대통령도 다윗과 비슷하게 자녀 사랑에 대해서는 방법을 몰랐던 사람 중 하나였다.

링컨의 자식 사랑은 편애와 무관심이었다. 즉, 장남인 로버트 링컨(Robert Lincoln)에게는 속으로야 어땠는지 모르겠지만 겉으로는 아주 딱딱하고 어색하고 부자간의 대화가 없었던 무관심의 관계였다고 한다. 그러나 둘째가 어린 나이에 병으로 죽은 뒤 셋째부터는 너무나 규율 없는 사랑을 주었다고 한다. 마치 아버지 수염을 잡아 다녀도 "허허" 웃는 링컨이었다고 한다. 로버트는 아버지가 암살되고 나서 이렇게 얘기했다고 한다. "나의 장래 계획의 대부분이 아버지의 인정을 받는 것이었는데, 이제 아버지가 가셨으니… 모든 희망과 용기가 사라진 느낌입니다."

누구나 사랑은 갈구하게 되어 있다. 사랑 받고 싶은 그 희망이 보이지 않을 때 대부분의 사람은 자기좌절을 겪으며 인생을 포기하게 된다. 미국의 대통령 자녀들 중에도 이러한 아버지의 방임으로 인하여 스스로 목숨을 끊은 아들도 있고, 알코올 중독자로 인생을 마감한 아들도 있다. 설사 그렇게 폐인이 되지 않았다 할지라도 로버트 링컨과 같이 마음의 상처를 안고 살아야만 했다.

왕자의 난이 시작되다

압살롬은 이제 반란준비를 끝내고 아버지를 찾아갔다. 그리고는 아버지에게 이렇게 거짓말을 해대는 것이었다. 아버지와 아들의 대화는 이렇게 이어졌다.

"아버님, 제가 헤브론에 다녀오겠습니다."
"헤브론에는 갑자기 가려고 하는 이유라도 있느냐?"
"예, 제가 아버지를 피해 장인 집에 머물고 있을 때 서원한 것이 하나 있습니다."

“무슨 서원을 했느냐?”

“하나님께서 저를 예루살렘에 다시 보내주시기만 하면, 제가 헤브론에 가서 하나님께 예배를 드리겠다고 서원을 했습니다.”

“그럼 잘 다녀 오거라.”

다윗은 아무런 의심도 없이 압살롬을 헤브론에 다녀오도록 허락했다. 압살롬의 거짓말에 순진하게 속아버리는 다윗이었다. 종종 종교가 자기 야망을 실현하기 위한 수단이 될 때가 있다. 기독교인들 대부분이 예수님, 하나님 이야기 하면 홀딱 넘어갈 때가 많다. 거기에 조금이라도 눈물이라도 흘리면 완전히 홀려버리기도 한다. 상대방을 먼저 신뢰하고자 하는 것은 신앙인의 기본자세인데 압살롬은 그러한 점을 백분 이용하였고, 철저히 다윗을 기만하여 눈을 멀게 하였다.

압살롬은 미리 짜 놓은 반란각본대로 헤브론에 도착하자마자 이스라엘 모든 지파들에게 첩자를 보내어 “압살롬이 헤브론에서 왕이 되었다”고 외치게 했다. 다윗의 참모이던 아히도벨도 가세시키는데 성공했다. 아히도벨이란 사람은 냉철한 판단력과 지략이 대단했으며 다윗의 정치 자문역할도 감당한 모사였다. 압살롬으로서는 그의 오른편에 가장 지혜 있는 사람을 얻은 셈이었다.

압살롬의 세력은 점점 커졌고 그 여세를 몰아 다윗이 있는 예루살렘 성으로 쳐들어갔다. 이미 다윗과 부하들은 압살롬 일당을 피하여 예루살렘을 떠나고 왕궁은 비어 있었다. 단지 후궁들 10명만 남아 있을 뿐이었다. 아히도벨은 압살롬에게 후궁들을 범할 것을 말하였고, 압살롬은 다윗이 거닐었던 옥상 위에 장막을 치고 온 이스라엘 사람들이 보는 앞에서 그들과 동침을 하였다. 이것이 바로 우상 바알 신이 아버지를 죽이고 아버지의 부인을 취하는 이야기와 같은 것이다. 이방인들의 문란한 성윤리가 배어 있었으며, 그렇게 함으로 이제부터 더 이상 이스라엘의 통치자는 다윗이 아니라 압살롬이라는 것을 선포하는 식과 같았다. 또한 압살롬의 이러한 부도덕한 행위는 아버지 다윗을 처참하게 욕보이는 것과 같았다. 압살롬은 참으로 권력 앞에 아무것도 보이지 않는 패륜아와 같았다.

사후처리보다 문제예방에 주력하라

압살롬이 "왕자의 난"을 일으켰을 때 다윗의 나이는 61세로 환갑쯤 되었다. 참으로 억장이 무너질 노릇이었다. 그것도 남도 아닌 아들에게 이런 반란을 당하다니… 자녀교육의 완전 실패였다. 인생무상, 권력무상 그 자체였다. 왜 이 지경까지 이르렀을까? 압살롬에게 조금만 신경 썼어도 이렇게 되지는 않았을 텐데 너무 관심을 가져주지 못했다. 비록 살인죄를 범했지만 그에게도 치유가 필요했었다. 그러나 아둘람 동굴 치유학교 원장이었던 과거의 화려한 경력이 무색할 정도로 아들에게는 그저 분노와 침묵으로만 일관했다. 그리고 문제들을 사전에 차단할 만큼 충분한 시간이 있었음에도 불구하고 예방하지 못했다.

여기서 문제해결에 대해 짚고 넘어가자. 지도자들이 문제해결에 미숙하여 큰 어려움을 자초하는 경우가 너무 많다. 우선 문제가 발생했을 때 문제를 피하면 더 큰 문제가 발생한다. 문제에 두려움을 극복하며 직면해야 한다. 또 문제가 발생하면 문제 자체를 보지 말고 그 뒤의 원인을 보아야 한다. 원인분석이 선행되어야 하고, 그 뒤에 원인치료를 위한 처방을 내려야 한다. 다윗의 경우 암논 왕자와 다말 공주 사이의 문제가 발생하는 것을 설사 막지 못했다 하더라도, 바로 대처했으면 압살롬과 암논 사건은 방지할 수 있었다. 다윗은 이 어렵고 골치 아픈 문제를 그냥 피해버렸다. 문제해결의 가장 좋은 방법은 문제를 사전에 방지하는 것이다. 지도자가 쌓아야 할 능력 가운데 하나가 문제를 미연에 방지할 수 있는 눈과 감각을 갖는 것이다.

다윗은 또 한 번 기회를 놓친다. 압살롬이 모반을 꿈꾸며 재판을 받으러 오는 사람들을 4년 동안 왕국에 들여보내지 않고 대신 그 일을 했는데, 어찌 모르고 있었을까? 주변국과 전쟁으로 인해 원정 나갔든지, 아니면 국사를 소홀히 했음이 분명하다. 문제는 대부분이 사전에 감지가 가능하다. 문제 감지에 동물적 감각을 가질 필요가 있다. 이 문제를 못 막아 다윗은 아들과 싸워야 되는 판국까지 오게 되었다.

정보조직을 가동하라

다윗은 예루살렘을 탈출하여 요단강 쪽으로 도망하였다. 다윗과 일행은 한참 길을 가다가 예루살렘 성을 뒤돌아보니 너무나 비통한 심정이었다. 다윗은 계속하여 맨발로 걸으면서 머리를 가리고 슬피 울었다. 도망가는 도중에 자기의 참모였던 아히도벨이 압살롬의 편이 되었다는 소리를 들었다. 순간 배신감이 몰려오면서 아히도벨의 얼굴이 떠오르는 것이었다. 이내 감정을 되찾고 기도하기를 부디 아히도벨의 계획이 어리석은 것이 되게 해달라고 빌었다. 다윗은 아히도벨의 유능함을 익히 알고 있었던 터라 그렇게 기도할 수밖에 없었다.

한참 가고 있는데 저 멀리서 겉옷을 찢고 머리에 흙을 뒤집어 쓴 채 슬퍼하며 달려오는 사람이 있었다. 바로 다윗의 친구이자 참모인 후새(Hushai)였다. 그는 자신도 다윗과 같이 가겠다고 하였다. 다윗은 후새에게 이르기를 자기를 따르면 짐만 될 터이니 압살롬에게 위장전향을 해 스파이가 되어 줄 것을 부탁했다. 그래서 압살롬에게서 일어나는 일을 자기에게 전달해주도록 한 것이다.

예루살렘 성을 점거한 압살롬이 반란 성공에 기뻐하고 있을 때, 아히도벨은 여기서 멈추지 않고 지쳐있는 다윗을 지금이야 말로 죽일 절호의 기회라고 하였다. 그는 본인이 정예부대를 이끌고 나가 기습공격 하겠다고 압살롬에게 말하였다. 압살롬은 또 다른 전략가 후새의 의견도 들어보고 최종 결정하기로 했다. 후새는 아히도벨의 정확한 상황인식에 놀라지 않을 수 없었다. 후새는 비록 압살롬과 같이 있지만 실제로는 다윗 편이다. 아히도벨의 모략이 채택되지 않도록 수를 써야만 했다. 다윗의 군대는 워낙 강하기 때문에 아무리 지쳐 있어도 쉽게 그들을 무찌를 수 없을 것임을 강조하며, 대군을 모집하여 압살롬이 직접 싸움터로 나가는 전면전을 할 것을 제안했다. 설득력에 있어서는 후새를 따라올 자가 없었다.

기습 전략이냐, 전면전이냐? 압살롬은 후새의 모략을 채택했고, 결국 다윗에게는 시간을 벌게 해주었으며 전열을 가다듬을 수 있는 여유를 갖게 해주었다. 후새는 이 긴급한 소식을 다윗에게 전달해 주어야 했다. 아히도벨은 자신의 계략이 받아들여지지 않자 다윗에게 패배할 것을 예감했다. 그는 어차피 결과는 보지 않아도 뻔한 것, 자살하는 길을 택했다.

후새와 다윗의 긴급 전달체계는 007영화를 보는 것 같이 놀라웠다.

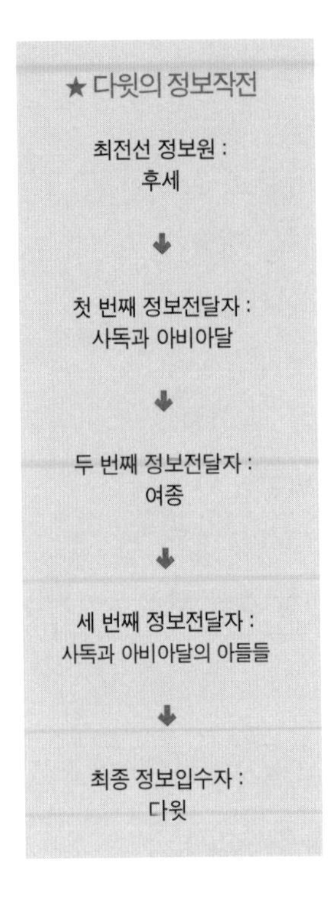

후새 → 사독과 아비아달 제사장 → 여종 → 아비아달과 사독의 아들들 → 다윗

이러한 스파이 작전을 통하여 다윗은 압살롬의 일거수일투족을 모두 알고 있었다. 정보조직은 다윗 직속이었음을 알 수 있다. 위기관리에 있어서는, 특히 전쟁에서는 다윗을 따라올 모사가 없었다. 다윗은 타고난 군사 전략가였다. 그의 스파이 작전은 한 치의 실수도 없었다. 압살롬이 공격할 것을 알게 된 다윗은 군대를 재정비해 만반의 준비를 해놓는다. 결국 압살롬은 이 전쟁에서 숨을 거둔다. 압살롬을 죽이지 말라고 신신당부한 다윗의 말이 있었음에도 불구하고, 요압은 그를 가차 없이 처단했다.

이 전쟁은 정보전의 승리였다. 지금 우리가 사는 세상도 정보 없이는 아무것도 할 수 없게 되어 있다. 정보의 중요성은 점점 증대되고 있다. 한반도 남북 간의 정보전은 어떤가? 남한은 대북 정보기관으로 국가정보원이 활동하고 있다. 그런데 이 기관을 통해 인권침해를 한다거나 정치에 관여 하는 폐단이 발생했다. 또한 정보기관을 권력유지나 정권 재창출에 이용하는 등 공작기관 내지 사찰기관으로 전락시켜서는 안 된다. 순수 대외 정보기관으로의 기능을 발휘해야 할 것이다. 북한은 통일전선부, 대외연락부, 작전부, 35호실 등 아주 다양하다. 상대방을 아는 가장 확실한 방법은 바로 고급 비밀정보를 얼마나 빠르고 정확하게 입수하느냐가 관건이다. 그래야 그들의 생각을 읽을 수 있다.

remember 13

자녀문제, 바쁘다고 방임하지 말라

사후처리보다 문제예방에 주력하라

정보조직을 가동하라

★★★

반란군이 진압되면서 다윗은 요단강 지역에서 이제 다시 예루살렘으로 돌아가야 했다. 그는 발걸음이 무거웠고, 마음이 부담스러웠다. 왜냐하면 국민들이 두 패로 나뉘어 있었기 때문에 다시 일치된 국민여론이 필요했다.

왕위에 다시 복귀해도 후유증을 최소화해야 하고 하루빨리 국정을 정상화 시켜야 하는 다윗, 갈 길이 먼 다윗이다.

★

★

왕은 이 말을 듣고, 마음이 찢어질 듯이 아파서, 성문 위의 다락방으로 올라가서 울었다. 그는 올라갈 때에 "내 아들 압살롬아, 내 아들아, 내 아들 압살롬아, 너 대신에 차라리 내가 죽을 것을, 압살롬아, 내 아들아, 내 아들아!" 하고 울부짖었다.(삼하 18:33)

The king was shaken. He went up to the room over the gateway and wept. As he went, he said: "O my son Absalom! My son, my son Absalom! If only I had died instead of you--O Absalom, my son, my son!" (2 Samuel 18:33)

★

★

David fourteen!

지역주의가 되살아나다

왕자의 난은 이렇게 다윗의 승리로 끝나고 예루살렘 왕궁으로 귀환준비와 동시에 왕의 복위를 추진해야 했다. 그런데 의견이 둘로 나누인 것이다. 유다 지파를 제외한 이스라엘 다른 지파들은 어서 빨리 다윗 왕을 왕궁으로 모셔오자고 하였는데, 자기의 골육인 유다 지파 사람들은 확실한 입장을 표명하지 않고 있는 것이 아닌가?

다윗 왕은 메신저를 유다 지역 지도자들에게 보내 왜 왕을 다시 왕국으로 모시는 일에 맨 나중에 서려고 하는지 물어보라고 했다. 그리고 왕자의 난 때 압살롬 군대의 지휘관을 맡았던 아마사

(Amasa)에게 요압을 대신하여 군대총사령관 자리를 주겠다는 약속을 해버리는 것이 아닌가? 이렇게 다윗은 유다 지파 사람들의 마음을 자기 쪽으로 기울이도록 온갖 노력을 다 했다. 그래서 유다 사람들이 여론형성을 해 나가도록 한 것이다.

다윗은 왜 사형을 당해도 부족할 반란군 지휘관과 계약을 했을까? 어느 사이에 다윗은 자리를 조건으로 계약하는 버릇이 들었나보다. 이전에 남북통일 협상할 때 아브넬과의 계약을 생각나게 한다. 사람들은 종종 착각하는데, 동기를 유발시키기 위해 금전적 보상을 제시하거나 승진을 제시한다. 그러나 그것은 임시방편적이다. 동기부여의 가장 중요한 것은 사명감을 심어주는 것이다. 사명감을 심어주기 위해서는 결국 본인이 사명감에 불타야 한다. 다윗은 동기부여의 방식이 이전과 달라졌다. 도피생활 시절에 그를 따르던 600명의 다사모는 한자리 할 것을 바라보고 따른 것이 아니었다. 그들은 다윗을 존경했고, 다윗과 함께 일하고 싶어 했었다.

측근관리에 예민하라

한편, 다윗 왕이 귀환하는 도중에 요단강에 도착하니 맞은편에 유다 지파 사람들이 환영하기 위해 기다리고 있었다. 그리고 건너가서 다윗 왕을 모시고 다시 요단강을 건너왔을 때, 갑자기 북쪽 이스라엘 지파 사람들이 불만을 털어 놓기 시작했다. 이러한 중요한 일에 유다 사람들이 의논도 없이 자기들끼리 일을 처리 하는 것에 대한 심한 불만이었다. 즉, 임금님을 모셔오는 일에 북쪽 지파 사람들이 완전히 배제된 셈이었다. 그런데 유다 지파 사람들의 대답은 지역주의를 조장하는 듯한 태도였다.

"우리가 임금님과 더 가깝기 때문이다. 너희가 이런 일로 그렇게 화를 낼 이유가 무엇이냐?"

이 말에 어이가 없다는 듯이 북쪽 이스라엘 지파 사람들은 자기들 지파의 수대로 유다 지파 사람들보다 10배나 권리가 있다고 항변했다. 그러면서 유다 지파 사람들에게 이르기를,

"임금님을 우리가 다시 모셔 와야 되겠다고 맨 먼저 말한 사람이 바로 우리가 아니었느냐?"

사실 다윗을 왕으로 재추대하자는 말은 이스라엘 10지파 사람들이 먼저 했는데, 유다 지파 사람들이 앞으로의 정치적 입지 약화를 걱정하여 선수 친 것이다. 이런 정치를 바로 측근정치라고 한다. 본인이 이런 정치를 추구할 수도 있지만, 많은 경우에 측근들이 외부세력의 권력핵심 진입을 방해하여 측근정치가 이루어지기도 한다. 다윗의 경우는 후자였던 것 같다. 인해장막에 둘러싸이다 보면, 현실감각을 잃어버리게 되고 측근들의 말만 듣고 결정 및 실행하기

때문에 실패를 하게 된다.

다윗은 사실 12지파 모두의 환영을 받고 싶었던 것이 분명하다. 왜냐하면 유다 지파를 제외한 다른 지파 사람들이 다윗의 예루살렘 복귀를 더 원했었기 때문이다. 그래서 유다 지파 사람들에게 약간의 섭섭한 감정을 이야기한 것이었는데, 유다 지파가 다윗으로부터 소식을 듣고 다른 지파들을 따돌리고 다윗을 맞이하는데 한발 먼저 행동을 취한 것이다.

다윗이 좀더 사려 깊었다면 다른 지파가 환영하러 올 때까지 기다렸겠지만, 그리 대단하게 생각하지 않고 왕궁으로 향했다. 다윗은 본인이 정치적 계산을 하며 행동한 것보다는 순진하게 상대방을 그대로 믿는 특성을 가지고 있었던 것 같다. 그러다 보면 정치적 머리를 돌리는 사람들의 심리를 파악하는데 약할 수 있다. 아무튼 다윗이 12지파 모두가 기쁘게 합의하여 왕의 귀환을 추진했다면 얼마나 아름다웠겠는가? 사람은 누구나 자신의 존재를 인정받기 원하고, 자신이 의사결정 과정에 포함되기를 바란다.

지역주의는 죽이면 또 살아난다

결국 유다 지파의 우월주의, 차별의식 때문에 세바(Sheba)라는 사람이 들고 일어났다. 그는 불량배였는데 아마 선동하는 능력은 대단했던 것 같다. 그의 구호는 아주 간단했다(삼하 20:1).

“우리가 다윗에게서 얻을 몫은 아무것도 없다. 우리가 이새의 아들에게서 물려받을 유산은 아무것도 없다. 그러니 이스라엘 사람들아, 모두들 자기의 집으로 돌아가자!”

이론적으로 사람들을 설득하는 것이 아니라, 더 좋은 방안을 모색하는 것이 아니라 분리주의 방향으로 나가는 세바는 사람들의 감정을 건드려서 국민을 다윗으로부터 돌아서게 하였다. 정치하는 사람들은 두 가지 타입으로 나뉘는데, 하나는 비전가로서 국민에게 역경을 딛고 일어나는 희망을 불어 넣는다. 또 다른 타입은 선동가로 자기의 정치적 야망을 위해 국민들을 선동하여 자기편으로 만든다.

히틀러(Adolf Hitler)는 아주 웅변에 능했던 사람이다. 그가 1919년부터 몸담았던 반유대인적 군소정당 나치스(Nazi)의 당세가 커질 수 있었던 것에 히틀러의 선동력이 한몫 했다. 그래서 그는 대중 집회를 많이 열었다.

세바의 선동정치에 매료된 북쪽 이스라엘 지파 사람들은 다윗을 버리고 모두 세바를 따르기 시작했다. 다윗은 아들 압살롬을 생포하라고 했음에도 불구하고 명령에 불복종하고 압살롬을 죽인 요압의 직위를 해제하였고 대신 아마사를 군대총사령관에 임명하여 세바의 반란군을 진압하도록 명령했다. 그러나 그가 명령을 수행하는 능력이 모자라자 다윗은 요압의 동생 아비새에게 다시 명령하였다. 요압은 아무런 명령을 받지 않았지만 아비새와 함께 출전하였고, 세바에게 가기 전에 아마사를 죽이고 아비새와 함께 세바 반란군을 진압하였다. 요압이 아마사를 죽인 이유는 자기의 자리를 아마사가 차지하였기 때문이었다.

요압은 비록 다윗에게는 충성했을지 모르지만, 자기의 라이벌들에 대해서는 가차 없이 처단해 버리는 잔인함이 있었다. 이전에 북쪽 이스라엘의 군대장관 아브넬이 통일 밀사로 남쪽에 내려왔을 때도 다윗과 둘만의 계약을 한 이유로 인해 그렇게 죽인 적이 있었다. 어쨌든 요압과 아비새의 공으로 지역주의에 편승하여 반란을 일으킨 세바와 그 무리들은 모두 전멸되었고 다윗 왕조는 다시 평화를 되찾았다. 이런 사태가 벌어진 것 자체가 불행한 일이 아닐 수 없다. 이만큼 지역주의는 국민을 분리시킨다. 그렇다면 지역주의는 영원히 사라지게 할 수 없는 것일까?

지역주의의 특성은 어느 한쪽이 자기 집단의 이익을 위해 뭉치게 되면 반대급부로 다른 한쪽도 여기에 대항하기 위해 뭉치게 되어 있다. 지역주의가 사라졌다고 해서 영원히 사라진 것이 아니다. 지역주의는 조금만 틈이 있으면 다시 움트는 것이다. 지역주의를 전멸시킬 생각을 하지 말라. 인간의 이기성이 사라지지 않는 한 불가능한 것이다. 다시 말하면, 지리적 지역주의는 잡초와 같은 것이다.

때에 맞추어 제초제를 주어 자라지 못하게 막는 것이 중요하다.

remember 14

측근관리에 예민하라

지역주의는 죽이면 또 살아난다

정당제도라는 것 자체도 지역주의에 근간하는 것이다. 이념의 지역주의라는 것만 다른 것이지, 세력그룹을 만드는 것은 동일한 원리이다. 또 다른 이념적 지역주의에 대해서 생각해보자. 여기에는 항상 주류그룹이 있고, 소외그룹이 있다. 주류그룹이 독주를 하다보면 소외그룹이 그 동안 조용히 있었지만 세를 규합하기 시작한다. 그것은 피해의식을 느끼거나 불안의식을 느끼기 때문이다. 어떤 지역주의건 그러한 사상과 주의를 떠나서 지도자는 모두를 감싸 안으며 공동체 인식을 어떻게 심어주느냐 고민해야 한다.

세바의 반 다윗 운동도 평정되고, 다윗은 몇 년 동안 다시 정치를 잘 하며, 전쟁에서도 승리하는 개가를 올린다. 그러다가 또 한 번 실수를 저지르고 만다. 그것이 무엇인지 살펴보자.

★

★

이스라엘 백성은 지파마다 서로 의논이 분분하였다.

"다윗 왕은 우리를 원수들의 손아귀에서 구해 주었다. 블레셋 사람의 손아귀에서도 우리를 건져 주었다. 그러나 지금은 압살롬을 피해서 이 나라에서 떠나 있다. 우리가 기름을 부어서 왕으로 세운 압살롬은 싸움터에서 죽었다. 그러니 이제 우리가 다윗 왕을 다시 왕궁으로 모셔 오는 일을 주저할 필요가 어디에 있는가?(삼하 19:9~10)

Throughout the tribes of Israel, the people were all arguing with each other, saying, "The king delivered us from the hand of our enemies; he is the one who rescued us from the hand of the Philistines. But now he has fled the country because of Absalom; and Absalom, whom we anointed to rule over us, has died in battle. So why do you say nothing about bringing the king back?"

(2 Samuel 19:9 ~ 10)

★

★

David fifteen!

정책결정의 실수, 철저한 자기 탓으로

다윗이 67세 되었던 어느 날, 옛날 자기의 과거 망명지였던 블레셋의 가드 지역을 공격하였다. 결과는 역시 다윗이 승리했다. 성경을 보면 다윗이 전쟁에서 졌다는 기록을 찾아볼 수가 없다. 그만큼 다윗은 전쟁영웅이었다. 아마 다윗이 떴다 하면 적군들이 간담이 서늘해져서 제대로 실력발휘도 못해보고 패배하지 않았나 싶다. 블레셋 전쟁에서 승리하고 한두 달 흐른 뒤, 어느 날 군대 사령관 요압을 불렀다. 그리고는 이스라엘의 인구를 조사하여 보고하라고 하였다(삼하 24장, 대상 21장).

"요압, 당신은 온 이스라엘의 인구를 조사하여 나에게 알려주시오."
"임금님, 하나님께서 임금님 살아 계시는 동안 이 민족을 백배나 더 불어나게 하셔서 임금님이 그것을 보게 되시길 바랍니다. 그런데 어찌하여 감히 이런 일을 하시고자 하십니까?"

요압은 너무나 어안이 벙벙했고, 다윗의 지시가 올바르지 못함을 지적했다. 인구조사는 합당하지 않다는 것이다.

마음의 동기를 헤아려라

인구조사가 무슨 잘못된 것이라도 되는가? 한 나라를 다스리려면 인구조사 하는 것은 당연한 것 아닐까? 그런데 왜 요압이 반대를 했을까? 그 이유가 여기 있다. 우선 여기서 인구조사는 칼 쓰는 장정, 즉 전쟁터에 나갈 수 있는 장정수를 세라는 것이다. 그럼 왜 칼 쓰는 장정수를 세는 것이 잘못된 것인가? 인구조사를 통해서 얻으려고 했던 목적이 무엇이었을까?

다윗은 자기가 통치하는 나라가 얼마나 강한 군대를 가진 나라인지 확인하고 싶었고, "이 정도면 내가 성공한 왕이지!" 하며 자랑하고 싶어 했다. 이스라엘이 오늘까지 이르는 강대국이 되었던 것은 바로 자신의 공로였다는 것을 확인 하고 싶었다. 막강한 군사력 위에 서있는 자신의 모습을 그려 보고 싶었다. 종의 모습보다는 대왕이라는 호칭을 갖고 싶어 했던 것이다. 어느 순간에 우월감과 자만심이 들어갔고 명예욕도 생겼다.

비단 숫자를 세어보고 자아도취에 빠지는 것이 어디 다윗뿐이겠는가? 오늘날에도 매우 유감스럽지만, 일부 교회들은 신도의 숫자 등 물량주의에 현혹되고 있지 않은가? 겉으로 표현하지 않지만 속으로는 "내가 이정도 이루었으니 흐뭇하구나"라고 생각한다. 이것이 자만이고 바로 죄인 것이다.

하나님께서는 업적의 양과 규모를 보시지 않는다. 외모를 보시지도 않는다. 하나님께서는 중심을 보신다. 따라서 잘했느냐 잘못했느냐의 판단 기준은 마음에 있는 동기이다. 비록 겉으로는 거룩해 보여도 그 사람의 마음속에 자신의 이름이 들어가는 것이면 아무리 위대한 업적을 이루었다 해도 하나님은 카운트하지 않으신다(고전 4:5). 하나님은 우리의 동기를 보시고 칭찬하시고 상급을 주신다고 분명히 말씀하셨다.

"주께서는 어둠 속에 감추인 것들을 밝히 나타내시고, 마음의 속생각을 드러내실 것입니다."

보스(Boss)가 되지 말아라

요압은 왕의 명령에 못마땅하게 여겼다고 했다. 하라니까 그저 억지로 조사해서 보고했다는 이야기다. 하나님이 다윗의 이 일, 즉 인구조사 자체보다는 인구조사 뒤의 숨은 동기를 악하게 보셨고, 그 결과 이스라엘 전역에서 전염병으로 7만 명이나 죽어 나갔다. 국가적 재앙에 가까웠다. 내 능력을 의지하려는 마음은 자기가 역사를 주관할 수 있다는 교만이나 마찬가지이다.

지도자의 권위는 어디에서 나오는가? 명령에 의해서 움직이는 조직은 더 이상 살아있는 조직이 아니다. 다윗은 사람이 바뀌었다. 이런 강압형 혹은 지시형의 지도자가 아니었는데 인구조사만은 고집을 부렸다. 요압의 동기유발에 실패한 모습을 보여주었다. 사람들을 중시하던 다윗이 자기 목표만 보고 그것을 이룩해 오라는 권위주의자로 바뀌었다. 이때 다윗은 최악의 지도자형으로 전락해 버렸다. 지도자의 권위는 만드는 것이 아니라 만들어지는 것이다.

리더십의 능력 중 빼놓을 수 없는 것이 바로 함께 일하기이다. 즉, 나와 함께 있는 사람들이 나를 돕는 조력자로만 보면 안 된다. 내 목적을 달성하는데 이용가치로만 보면 안 된다. 나는 보스이고 너희는 명령에 무조건 따르는 자들이라는 교만한 사고는 날려버려야 한다. 모두 동역자인 것이다. 일도 중요하지만 결국 그 일을 수

행하는 것은 사람이다. 지시에 의해서만 움직이는 로봇을 만들어 놓은 조직만큼 비능률적인 조직이 없다. 이의를 제기하지 않아 효율적인 것 같지만, 일에 대한 주인 의식도, 보람도 못 느끼게 만들어 버리는 것이다.

교만은 잘못된 정책을 내놓게 된다

요압이 아무리 이야기해도 다윗을 도저히 설득할 수 없었다고 성경은 이야기한다. 다윗이 고집을 부렸던 것은 이번이 처음이었다. 사람의 말을 경청하던 다윗이 이렇게까지 꽉 막히고 교만하게 변했다니, 바로 어제까지만 해도 그러지 않았는데, 너무 갑작스런 변화였다. 다윗은 요압이 하도 반론을 제기하니까, 마지막에는 다윗의 성난 목소리와 요압의 체념 섞인 대화가 다음과 같이 이루어졌을 것이다.

"하라면 하지, 왜 이렇게 말이 많은 거요? 인구조사 문제는 더 이상 거론하지 마십시오."

"그렇지만… 네… 알겠습니다… 아무튼 하시라니까… 일단 하겠습니다만…."

다윗이 고집을 부렸던 이유는 무엇일까? '내가 결정한다는데 누가 말려, 내 의견이 최고이다. 이스라엘은 내가 책임진다. 이스라엘의 나갈 방향은 내가 결정한다' 라는 생각을 갖게 되었기 때문에 이런 교만이 나온다. 상대방의 말에 귀담아 들으려 하지 않고, 일단 자기가 생각한 것에 빠져든다. 마치 마약 중독자같이 자기 생각에 빠져들어 중독되는 것이다.

잘못된 방향으로 가면서 자기 생각을 절대화하는 것만큼 위험한 일이 없다. 중국 마오쩌뚱의 문화대혁명으로 말미암아 중국이 겪은 혼돈과 기아와 인간성 파괴를 생각해보라. 문화대혁명 이전에 그가 추진했던 정책 중에 "대약진운동"이라고 있다. 이것은 우리나라의 경제개발 5개년 계획과 유사한 것으로 지금 생각하면 상식 이하의 말도 안 되는 정책이었다. 농업생산량을 100% 상승을 목표로 했고, 강철 생산량을 15년 내 영국 추월을 목표로 하는 운동이었다.

그러나 본격적 공산주의식 농업정책은 농민들의 태업과 반항으로 이어졌고 생산량은 전년도에 비해 반으로 줄어들게 되었다. 제철산업을 위해서는 밥 짓는 가마솥에서 심지어 숟가락, 젓가락, 도끼, 삽, 괭이 할 것 없이 모두 몰수해서 재래식 방법으로 수만 개의 제철소를 만들었지만, 생산한 철은 산성이 많아서 대부분 쓸모없는 것이 되고 말았다. 게다가 농촌은 멸망을 향해 고속행진을 하였고, 농사지을 농기구조차 사라진 결과 철기시대가 아닌 석기시대라는 과거로 회귀해버렸다. 천재가 아닌 인재로 인하여 59년부터 61년까지 3년 동안의 연속 흉작은 무려 4천 3백만 명이 굶어 죽는 사건이 발생하였다. 당시 6억의 인구 중 약 7%가 굶어 죽은 셈이다.

잠언 16장 17~19절에서도 이르듯이 인간의 독선과 교만은 패망의 선봉이다.

"악을 떠나는 것은 정직한 사람이 가는 큰길이니, 그 길을 지키는 사람은 자기의 생명을 지킨다. 교만에는 멸망이 따르고, 거만에는 파멸이 따른다. 겸손한 사람과 어울려 마음을 낮추는 것이, 거만한 사람과 어울려 전리품을 나누는 것보다 낫다."

영국 격언 중에 "임금이 길을 잃고 헤매면 백성들이 그 대가를 치른다"는 말이 있다. 한 나라의 지도자는 전국민의 운명을 좌우한다는 의미인데, 정책결정에 있어서 겸손하게 두렵고 떨리는 마음이 필요하다. 다윗의 인구조사 결정을 악하게 여기셨듯이, 하나님께서는 인본주의적 정치를 악하게 여기신다. 위정자들이 비록 비기독인이라 할지라도 그들이 하나님께서 원하시는 올바른 결정을 할 수 있도록 기도해야 한다. 진실함과 겸손이 상실되면 욕심이 생기고, 자기가 성공한 것을 확인하고 싶어 하고, 결국 교만에 휩싸여 잘못된 정책을 내놓게 된다는 교훈이다. 잘못된 확신에 빠져 온 국민을 도탄에 빠트릴 수 있는 것이 정책이다. 한 번 결정하고 다시 되돌리는 데는 너무나 힘들고 오래 걸린다. 성경은 이것을 가지고 사탄의 꼬임에 넘어가거나 이용당하는 것이라고 한다.

잘못을 깨닫는 즉시 돌이키라

성경에 기록된 것을 보면, 다윗은 인구조사를 하고 난 다음에 스스로 양심에 가책을 받았다고 기록하고 있다. 그리고는 하나님께 자백을 했다(삼하 24:10).

"내가 이러한 일을 해서, 큰 죄를 지었습니다. 그러나 하나님, 이제 이 종의 죄를 용서해 주시기를 빕니다. 참으로 내가 너무나도 어리석은 일을 하였습니다."

다윗이 위대했던 이유가 바로 여기에 있다. 잘못을 저지르고 그것이 잘못되었다 싶으면 즉시 회개하는 용기가 있었다. 다시 회복하고자 하는 갈급함이 있었다. 7만 명이 전염병으로 쓰러져 나가는 것을 보며 그는 마음이 찢어질 것 같았다. 그래서 그는 절규한다.

"바로 내가 죄를 지은 사람입니다. 바로 내가 악을 저지른 사람입니다. 백성은 양무리일 뿐입니다. 그들에게는 아무런 잘못도 없습니다. 나와 내 아버지의 집안을 쳐 주십시오."

자기 죄를 회개할 뿐만 아니라 백성들에게 피해가 돌아가는 것을 너무나 슬퍼하고 통곡하며, 그 벌이 다 자기에게 돌아오기를 고백하는 다윗이다. 다윗, 그는 진실로 위대한 사람이다. 하나님의 마음을 헤아리는 사람이다. 사람은 잘못 나가거나 교만해질 수도 있다. 그러나 다윗은 잘못된 길이란 것을 깨닫는 순간 돌아왔다. 늘 하나님께 초점을 맞추고 살아온 다윗이었다.

remember 15

마음의 동기를 헤아려라
보스(Boss)가 되지 말라
교만은 잘못된 정책을 내놓게 된다
잘못을 깨닫는 즉시 돌이키라

우리는 어떤가? 설사 잘못을 저질렀어도 끝까지 발뺌을 한다. 그러다가 더 이상 변명의 여지가 없을 정도로 명확하게 사실이 밝혀지게 되면, 그때서야 비로소 사람들 앞에 미안하고 죄스러움을 고백하지 않는가? 잘못에 대한 고백도 용기가 필요하다. 자기 죄에 대한 회개도 용기 없이는 이루어질 수 없다. 회개란 처절하게 창피당할 각오를 하는 것이다. 잘못을 인정하고 회개할 경우 우리는 그를 감싸 안는 포용력이 필요하다. 대개 잘못을 인정하지 못하는 이유는 인정하게 되면 용서를 받기보다는 사회에서 매장될 것을 두려워하기 때문이다. 이런 점에서 본다면 하나님께 어떤 처벌이라도 달갑게 받겠다며 자기의 죄를 토해내는 다윗은 정말로 위대하다.

오로지 하나님 마음을 눈치 채는 데는 거의 본능적이라고 할 정도로, 예민한 영적 감각을 가지고 있었던 다윗이었기 때문에 40년의 긴 정치를 하면서도 성공할 수 있었던 것이다. 다윗의 남은 과제가 하나 있었는데 그것은 차기 대권 승계자 결정이었다.

★

★

다윗은 이렇게 인구를 조사하고 난 다음에, 스스로 양심의 가책을 받았다. 그래서 다윗이 주께 자백하였다. "내가 이러한 일을 해서, 큰 죄를 지었습니다. 그러나 주님, 이제 이 종의 죄를 용서해 주시기를 빕니다. 참으로 내가 너무나도 어리석은 일을 하였습니다."(삼하 24:10)

David was conscience-stricken after he had counted the fighting men, and he said to the LORD, "I have sinned greatly in what I have done. Now, O LORD, I beg you, take away the guilt of your servant. I have done a very foolish thing." (2 Samuel 24:10)

★

★

David sixteen!

차기 대권 승계자를 결정짓다

다윗의 아들 솔로몬이 어느덧 20세가 되었을 때, 아버지 다윗은 70세라는 고령이었다. 다윗이 바로 이 솔로몬의 나이 때 골리앗을 때려 눕혔었다. 그러나 지금은 이제 늙은 나이로 몸이 따뜻하지 않을 정도로 기력이 아주 약해졌다. 더 살날이 얼마 남지 않은 듯했다. 다윗은 대권을 솔로몬에게 넘겨주기까지 또 한 번의 진통을 겪어야 했다(왕상 1장).

다윗에게는 남북통일 전 헤브론에서 왕으로 있을 때 낳은 아도니야라는 아들이 있었는데, 정확하진 않지만 대략 35세 정도 되었을 나이이다. 아도니야가 볼 때, 아버지는 이제 후계자를 공식적으로 지정해 주셔야 하는데 소식이 감감하다. 그래서 아도니야는 솔로몬보다 약 15살 정도 위인 자기가 왕이 될 것이라고 하면서, 후계자처럼 행세하고 다녔다. 그런데 다윗은 아도니야의 행동을 보고, 꾸짖지도 않고, 어찌하여 그런 일을 하느냐고 한 번도 묻지 않았다(왕상 1:6). 그는 아들 중에서는 압살롬 다음의 차남이었다. 이미 압살롬은 8년 전 죽었고, 본인이 당연히 차기 왕이 되는 것을 기대할 수밖에….

하나님의 뜻에 끝까지 순종하려 했던 다윗

몇 가지 질문을 해보자. 다윗은 누구를 후계자로 지목했을까? 다윗은 왜 이때까지 후계자를 공포하지 않았을까? 이전에 공식적으로 솔로몬을 후계자로 지목한 적이 없음을 발견한다. 그럼 솔로몬이 차기 왕이 될 것에 대해 뒷받침하는 성경구절들과 예언적 이야기를 찾아보자. 남북통일 이후 나단이라는 선지자가 다윗에게 예언하는 장면이 있다(삼하 7장). 여기서 나단은 후계자 관련하여 다음과 같이 말하였다.

"너의 생애가 다하여서, 네가 너의 조상들과 함께 묻히면, 내가 네 몸에서 나올 자식을 후계자로 세워서, 그의 나라를 튼튼하게 하겠다."

이 글을 보면, 다윗의 후계자는 현재까지가 아닌 미래에 다윗의 몸에서 "나올 자식"이라고 했으므로, 이미 나온 자식들은 절대 아님을 알 수 있다. 따라서 압살롬이나 아도니야는 분명히 후계자가 될 수 없었다. 그리고 후계자는 미리 선정될 수도 있겠지만, 다윗이 죽은 뒤에나 정식으로 후계자로 선포할 하나님의 계획임을 알 수가 있다.

다윗이 50세에 그 아내 밧세바를 통해 늦둥이를 낳았는데, 그 아들의 이름을 솔로몬이라고 지었다. 그리고 나단 선지자가 와서 그의 이름을 여디디야(Jedidiah)라고 부르게 했는데, 그 뜻은 하나님께서 사랑하신다는 뜻이다. 다윗이란 이름은 사랑 받는 자란 뜻으로 여디디야와 같은 의미였다(삼하 12:24~25). 이것으로 보아 후에 솔로몬이 왕이 될 것임을 짐작할 수 있다.

또한 다윗이 솔로몬이라 이름을 지은 이유가 있었다. 하나님께서 임재하시는 언약궤는 그저 텐트 안에 있었기 때문에, 다윗은 자기가 호화로운 왕궁에 사는 것을 늘 미안해 했다. 그래서 성전을 지으려고 했으나 하나님께서 허락하지 않으셨고, "그 다음 왕이 짓도록 할 것이다"라고 하면서 왕이 될 아이를 낳으면 이름을 솔로몬이라고 지으라고 말씀하셨다(대상 22:6~10).

"그러므로 그의 이름을 솔로몬이라 지어라. 그가 사는 날 동안,

내가 이스라엘에 평화와 안정을 줄 것이다. 그가 내 이름을 위하여 성전을 건축할 것이다. 그는 내 아들이 되고, 나는 그의 아버지가 되어, 이스라엘을 다스리는 그의 왕위가 영원히 흔들리지 않고 튼튼히 서게 해줄 것이다."

다윗은 또 솔로몬의 어머니 밧세바에게는 개인적으로 솔로몬이 왕권을 물려받을 것이라는 약속을 한 적이 있었던 듯하다(왕상 1:30). 따라서 솔로몬이 다윗의 후계자가 될 것을 안 사람들은 최소한 다윗을 포함하여 나단 선지자, 밧세바, 그리고 솔로몬이었다. 그러나 국가적 공식선포가 없었던 것은 분명하다. 그렇다고 해서 한 집안의 일인데 아도니야가 모를 수 있었을까? 그는 아버지가 늙어 기력이 쇠하여진 틈을 이용하여 모반을 꿈꾸었던 것이다.

먼저 왜 다윗은 아도니야를 꾸짖지 않았을까? 그럼 왜 아도니야를 방치하고 있었을까? 다윗이 아도니야를 꾸짖지 아니한 것은 바로 나단 선지자의 말에 기인했던 것 같다. 분명히 다윗이 죽은 뒤에 후계자를 세우겠다고 한 약속에 근거한다. 다윗의 왕권은 종신토록 하는 것이었다. 따라서 후계자를 세우는 일은 다윗의 권한 밖이라고 생각했던 듯하다. 그는 불과 3년 전에 교만했던 것 때문에 크게 뉘우쳤던 사람이다. 그리고 하나님께서 말씀하신 것에 대해서는 미련하리만치 지키는 사람이었다.

권력에 대한 야망은 실패의 지름길이다

다윗은 본인이 나서서 속히 솔로몬을 정식 차기 왕으로 선포할 수도 있었지만, 하나님의 때를 거스르지 않을까, 하나님의 때보다 먼저 앞서서 행동하면 어떡하나 하는 생각으로 항상 액션을 먼저 취하지 않았던 듯하다. 기다리는데 있어서는 다윗을 능가할 자가 없다는 것은 이미 사울 때부터 증명된 것이다. 그러나 다윗은 아도니야가 그렇게 후계자처럼 행세할 때 아무런 행동을 취하지 않은 것 때문에 큰 화를 자초할 뻔했다. 아도니야는 결국 일을 저지르고 만다. 자기 지지 세력을 모았는데, 다윗 다음의 2인자였던 요압을 끌어드리는데 성공했고, 제사장 계열에서는 서열 1위의 아비아달을 포섭하는데 성공했다. 그리고 모든 왕자와 신하들을 초청하여 잔치를 벌였는데, 여기서 제외된 인물은 솔로몬, 나단 선지자, 사독 제사장, 그리고 군대 지휘관인 브나야(Benaiah) 등이었다.

아도니야가 왕이 될 것을 기대하며 잔치를 벌였다는 소식을 전해 들은 밧세바는 다급해지기 시작했다. 다윗 왕은 솔로몬을 차기 왕으로 이미 자기에게 말하여 왔는데 아닌 밤중에 홍두깨 식이었다. 나단 선지자를 찾아 가서 긴박한 상황을 보고하게 되었고, 나단 선지자는 이제 솔로몬을 왕으로 선포할 때가 왔음을 감지하고 밧세바에게 어떻게 하라는 행동지침을 일러 주었고, 밧세바는 나단 선지자가 시키는 대로 다윗을 찾아가 이야기 했다(왕상 1:17~18).

"임금님께서 주 하나님을 두고 맹세하시며, 이 종에게 이르시기를, 이 몸에서 태어난 아들 솔로몬이 임금님의 뒤를 이어서 왕이 될 것이며, 그가 임금님의 자리에 앉을 것이라고 말씀하셨습니다. 그런데 지금 아도니야가 왕이 되었는데도, 임금님께서는 이 일을 알지 못하고 계십니다."

선지자 나단이 이어 들어와서 다윗에게 아도니야가 왕이 될 것에 대해 말씀하신 적이 있느냐고 물었다. 다윗은 이제야 솔로몬을 후계자로 공식 선포할 때라고 느꼈다. 더 이상 지체하면 또 부자간에 피가 흐를 것이라는 것을 감지했다. 이미 압살롬 왕자의 반란으로 뼈저린 아픔을 경험했기 때문에 더 이상 지체되어서는 안 된다고 생각한 것 같다. 비로소 다윗은 후계자 선정을 공식적으로 발표했다.

"솔로몬을 온 이스라엘의 통치자로 임명하노라."

사독 제사장이 관례대로 제3대왕 임명식을 거행했고, 나팔소리와 함께 온 이스라엘에 알렸다. 백성들은 "솔로몬 왕 만세!" 하고 외치며 기뻐했다.

이 소식을 듣고, 아도니야의 잔치에 초청받은 모든 사람이 깜짝 놀라 겁에 질렸고, 걸음아 나 살려라 하며 뿔뿔이 흩어져 버렸다.

모인 사람들은 벌써 자기들이 잘못한 것을 알았다는 의미였고, 권력에 눈이 어두운 사람들만 모였던 것이다. 깡패들에게 볼 수 있는 의기투합도 없었던 자들이었다. 그렇게 쉽게 뿔뿔이 도망 갈 것이면 시작도 하지 말았어야 한다. 이 사건을 '아도니야 해프닝'이라고 명명하고 싶다. 왜냐하면 아도니야의 치밀하지 못했던 계획으로 인한 소동에 지나지 않았기 때문이다. 진짜 왕이 되는 것을 확인하려면 아도니야는 잔치하기 전에 다윗 왕의 환심을 샀어야 했다. 아도니야는 솔로몬에 대해서 이미 감을 잡고 있었다. 왜냐하면 솔로몬을 초청하지 않았다는 것은 뭔가 껄끄러운 것이 있었기 때문이다.

이러한 사람들이 너무 많다. 분수를 모르고 본인이 나서서 대권을 휘어 잡아보고 싶어 하는 사람, 높은 자리에 앉아서 대우나 받고 싶은 사람들은 인위적으로 자기에게 유리한 편을 모으려고 한다. 그러다가 수틀리면 또 흩어진다. 이합집산이 너무나 쉽게 이루어진다. 그 이유는 나라를 위한 헌신보다는 자기 이익 추구에 따른 행동을 하기 때문이다. 이런 것이 바로 철새정치인데, 역사의 교훈이 많음에도 불구하고 지금 이 시대도 여전히 이루어지는 이유는 무엇일까?

리더십 이양에 성공하라

다윗은 솔로몬 후계자가 정치를 잘할 수 있도록 멘토링(조언,

mentoring)하기 시작했다. 왕으로서 무엇이 가장 중요한지, 어떤 일들을 해나가야 할지 차근차근 말해 주었다. 즉, 리더십 이양 순서를 밟아 나갔다. 이스라엘의 모든 지파 지도자들, 여러 갈래의 지휘관들, 천부장과 백부장, 왕실 재산 관리자, 환관, 무사들, 모든 전쟁 용사들을 불러 모았다. 그리고 솔로몬에게 힘을 실어주었다(대상 28장). 리더십 이양은 아주 순조로웠고 사람들은 솔로몬을 다윗과 같이 따랐다.

멘토링 역할은 리더십 이양의 성공여부가 달려있다. 많은 지도자들이 리더십 이양까지는 하지만 언제나 부작용이 따른 것은 멘토링이 부족하였기 때문이다. 후계자 선정도 중요하지만, 잘 이어갈 수 있는 멘토링 역시 못지않게 중요한 것이다. 후계자가 잘할 수 있도록 자신감을 심어주고 권위를 모아주며, 진정한 리더가 되도록 양육하는데 다윗은 성공했다. 다윗이 후계자 선정과 이양에 실패한 왕이었다면 그는 실패한 왕으로 회자될 지도 모른다.

우리는 다윗이 솔로몬에게 리더십 이양을 위한 멘토링을 하였을 때 몇 가지 중요한 원리를 발견할 수 있다. 첫째, 바른 길을 제시하는 것이다(대상 28:9). 둘째, 못 다한 과업에 대해 계속 진행할 것에 대한 부탁(대상 28:10~19), 즉 국정업무에 대한 인수인계이다. 셋째, 격려와 용기를 불어 넣어주는 것이고(대상 28:20), 넷째, 권위의 부여이다(대상 28:21). 또 솔로몬을 따를 사람들에게 함께 잘해 나갈 것에 대한 부탁을 먼저 하는 것을 볼 수 있다(대상 28:1~8). 바로 솔로몬에게 권위를 실어주기 위한 것이다. 다윗이 죽은 이후에 솔로몬의 지도력은 처음부터 아주 탄탄한 것으로 기록하고 있어(왕상 2:12) 리더십의 이양은 아주 성공적이었다.

"솔로몬은 그의 아버지 다윗이 앉았던 자리에 앉아서, 그 왕국을 아주 튼튼하게 세웠다."

또한 솔로몬은 자기의 멘토에 대해서 열왕기상 3장 6절에서 고백했다.

"주님께서는, 주님의 종이요 나의 아버지인 다윗이, 진실과 공의와 정직한 마음으로 주님을 모시고 살았다고 해서, 큰 은혜를 베풀어 주시고, 또 그 큰 은혜로 그를 지켜 주셔서, 오늘과 같이 이렇게 그 보좌에 앉을 아들까지 주셨습니다."

멘토인 다윗을 존경하는 마음에서 솔로몬은 이렇게 이야기할 수 있었다. 다윗은 멘토로서 갖추어야 할 조건들을 고루 갖춘 자였다. 정직하고 공의와 신실한 성품의 소유자였던 것이다. 다윗은 그가 성공할 수 있었던 비결을 알려주기 위해 최선을 다했다.

다윗은 아도니야 해프닝으로 한바탕 홍역을 치르고, 후계자 선정을 마무리 지으면서 지나온 인생을 돌아보았다. 결코 평탄하지만은 않았던 70년의 인생이었다. 주마등처럼 숱한 기억들이 스치면서 이스라엘에게 복을 주시고 자신을 영화롭게 해주신 전적인 하나님의 은혜에 감사하였다.

remember 16

권력에 대한 야망은 실패의 지름길이다
리더십 이양에 성공하라

★★★

이제 마지막 남은 한 가지 과업이 다윗에게 남아 있었다. 그것은 자기 인생 이야기를 솔로몬에게 들려주고 가르치는 일이었다.

★

★

"또 주께서는 나에게 여러 아들을 주시고,

그 모든 아들 가운데서 나의 아들 솔로몬을 택하여,

주의 나라 왕좌에 앉아 이스라엘을 다스리게 하시고"(대상 28:5)

"Of all my sons--and the LORD has given me many--He has chosen my son Solomon to sit on the throne of the kingdom of the LORD over Israel." (1 Chronicles 28:5)

★

★

David seventeen!

다윗의 유언

솔로몬이 드디어 통일 이스라엘의 제3대 왕으로 결정된 후, 다윗은 모든 이스라엘의 지도자들을 예루살렘으로 불러 모아 백성들에게 연설을 했다. 첫 번째는 성전건축을 잘 이루어줄 것에 대해서 부탁하였고, 두 번째는 이스라엘의 헌법인 하나님의 계명을 잘 지켜나갈 것에 대해 신신당부했다. 그리고 차기 왕에게는 모든 생각과 의도를 헤아리시는 하나님을 정성을 다해 섬기도록 명령하며, 성전건축 설계도를 솔로몬에게 건네주었다. 설계도뿐만 아니라 자기가 모아놓은 재산을 성전건축 헌금으로 내놓았다. 이를 본 이스라엘 지도자들도 기꺼이 예물을 바치며 기뻐하였다(대상 28, 29장).

인생경영, 모든 것이 내 것이 아니다

다윗은 백성들 앞에서 계속 이야기를 이어 나갔는데, 인생에 대해 정확하게 표현하고 있다.

"하늘과 땅에 있는 모든 것이 다 내 것이 아닙니다. 모든 것이 하나님의 것입니다. 그리고 이 나라도 하나님의 것입니다. 우리는 이 세상에 사는 날이 영원한 것이 아니라, 나그네와 임시 거주민에 불과합니다. 우리가 의지할 곳은 여기가 아닙니다. 나의 하나님, 당신은 사람의 마음을 헤아리시고, 정직한 사람을 두고 기뻐하시는 줄을 제가 압니다."

무엇이든지 내가 주인공이고, 내가 이름을 날려야 하고, 내가 역사에 길이 남을 자가 되어야 하고… "내가" 철학은 결국 인생의 실패자가 되는 지름길이다. 다윗은 자기가 지금까지 이룬 업적도 자신이 한 것으로 여기지 않았다. 주권자 되시는 하나님께서 하셨다고 하며 모든 영광을 하나님께 올려드렸다. 여기에 다윗의 인생 성공의 비밀이 있었다.

이스라엘의 1대왕 사울에 뒤이어 2대왕 선발대회를 치를 때, 하나님이 다윗을 두고 중심을 보신다고 하셨다. 이 말씀을 정확히 설명한 사람은 바로 바울(Paul)이었다. 바울은 다윗이 하나님 마음에 합한 자라고 표현했다.

"나는 사람이 판단하는 것처럼 그렇게 판단하지는 않는다. 사람은 겉모습만을 따라 판단하지만, 나 주는 중심을 본다."(삼 16:7)

"내가 이새의 아들 다윗을 찾아냈으니, 그는 내 마음에 드는(합한) 사람이다. 그가 내 뜻을 다 행할 것이다."(행 13:22)

하나님께서는 분명히 다윗을 보셨다. 그의 중심을 보셨다고 하는데, 과연 중심은 무엇을 의미하는가? 그의 중심에 무엇이 있단 말인가? "중심"이란 말의 뜻은 원어로 "마음(heart)"을 의미한다. 단순한 마음이 아니라 이 단어에는 의지, 정서, 지성까지 포함되는 의미의 마음이기 때문에 우리말로 중심으로 번역된 듯하다. 그렇다면 다윗의 마음 안에 무엇이 있었고 하나님께서 무엇을 보셨단 말인가? 그 답은 바로 사도행전 13장 22절과 같이 하나님의 마음에 합한 자라고 표현한 데서 찾을 수 있을 것이다.

하나님의 마음에 합한 자란 무슨 뜻인가? 종종 사람들이 이 말에 오해하곤 한다. 하나님께서 다윗을 무조건적으로 선택하시고, 마음에 들어 하셨다고 생각하는 것이다. 그렇다면 하나님이 다윗의 마음을 볼 필요도 없다. 그저 선택하시면 되는 것이다. 그러나 영어로 보면 좀더 분명해 지는데 "A person after God's heart"라고 표현하고 있다. 그러므로 이 말의 옳은 의미는 다윗 자체가 하나님의 마음(중심)을 매우 열심히 놓치지 않고 따르며 좇는 자라는 것이다. 이심전심이라는 말이 있듯이 "하나님 마음, 다윗 마음"이라는 표어를 걸어도 될 정도였던 사람이다. 하나님께서는 다윗의 이 중심을 보신 것이다. 비록 그가 하나님을 업신여겼던 죄가 밧세바라는 여인과의 돌발 사고를 내었고, 살인죄까지 저지르는 악행을 했지만, 그는 처절히 뼈에 사무치는 회개를 하였다(시 51편).

"내가 당신께 죄를 범했습니다. 당신의 눈앞에서 내가 악한 짓을 저질렀습니다. 나의 반역죄를 없애 주세요. 나를 씻어주세요. 제발 나를 당신 앞에서 쫓아내지 말아 주세요. 내 마음을 찢습니다. 내 속에 깨끗한 마음을 창조해 주세요, 내게 자비를, 당신의 크신 긍휼을 베풀어 주세요. 나를 회복해 주세요. 내 입술을 열어 당신을 찬양합니다…."

사람은 누구나 자신을 들여다볼 수 있는 거울이 있어야 한다. 당신의 인생거울을 생각해 보신 적이 있는지? 다윗은 다시 한 번 놀랍게 비상한다. 후대 이스라엘 백성들의 평가를 들어보면 알 수 있다(왕상 15:5).

"다윗은 하나님께서 보시기에 올바르게 살았고, 헷 사람 우리아의 사건 말고는, 그 생애 동안에 주님의 명령을 어긴 일이 없었다."

다윗과 같이 하나님을 의지하며 인생을 산 사람을 소개한다. 영국의 국민적 영웅 처칠(Winston Churchill)이다. 스티븐 맨스필드(Stephen Mansfield)는 '윈스턴 처칠의 리더십' 이라는 책에서 말하기를, 처칠의 인생에 가장 큰 영향을 미친 사람은 엘리자베스 에베레스트(Elizabeth Everest)라는 유모였다고 한다. 그녀는 처칠이 태어난 직후부터 그를 양육했는데, 열성적인 기도의 사람이었고 의식주의를 반대하는 한 개신교파의 신실한 교인으로서, 처칠에게 신앙을 심어준 사람이었다. 처칠은 그녀의 말에 절대 신뢰하며 매우 순종적으로 따랐다고 한다. 이후 처칠은 두 번째 수상을 역임하던 1954년에 부흥사인 빌리 그래함(Billy Graham)과 만나 세계정세에 대해서 대화를 나눈 적이 있었다. 그러면서 빌리 그래함에게 이렇게 얘기했다고 한다.

"젊은이, 자네가 말하는 희망이 아닌 한, 나는 미래에 대한 희망이 별로 없다고 생각하네. 우리는 꼭 하나님께 돌아가야 하네."

모든 것이 하나님께로부터 왔다. 우리가 하나님을 떠나서는 우리의 미래에 대한 희망을 바라볼 수가 없다는 것이다. 그 동안 사람들에게 처칠은 무신론자라고 알려져 왔다. 이것은 전기 작가들에 의해 왜곡되었던 것이다. 그는 다른 사람처럼 정치적 이득을 위해서 기독교인이라는 것을 자랑하지 않았지만, 자신의 신앙을 결코 숨기지 않았다. 그가 하원의원으로 일하던 1901년 영국에서는 성직자

법이 만들어졌는데 그것을 지지하며 이렇게 얘기했다. 쳐칠은 그의 인생을 애기할 때 기독교적 세계관을 도외시한다면 쳐칠에 대한 올바른 평가가 이루어질 수 없다.

"…쾌락주의는 덧없는 시련과 선택의 연속이니 세상에서 때때로 즐거움을 줄 수 있겠지만, 그 이후에는 헤아릴 수 없는 세월이 지나도록 파멸에서 벗어나지 못할 것이다."

국가경영, 테크닉보다 원리에 승부하라

다윗이 세상을 떠날 때 솔로몬을 불러 당부하였다. 다윗의 유언인 셈이다.

"나는 이제 세상 모든 사람이 가는 길로 간다. 너는 굳세고 장부다워야 한다. 그리고 너는 주 너의 하나님의 명령을 지키고, 모세의 율법에 기록된 대로, 주님께서 지시하시는 길을 걷고, 주님의 법률과 계명, 주님의 율례와 증거의 말씀을 지켜라. 그리하면, 네가 무엇을 하든지, 어디를 가든지, 모든 일이 형통할 것이다."

이 말은 다윗의 성공체험이자 실패로부터 얻은 교훈이다. 그는 뼛속 깊이 하나님을 업신여겨서는 안 된다는, 하나님을 가볍게 여겨서는 안 된다는 것을 깨달은 사람이다. 다윗은 국가 장기발전계획을 어떻게 세워야 하고, 지역주의는 어떻게 막아야 되고, 외세의 침략을 어떻게 대비해야 하며, 나라 경제는 어떻게 운영해야 한다는 방법들을 가르치지 않았다. 그는 국가경영 테크닉보다 중요한 국가경영 원리를 가르친 것이다. 얼마나 간곡하게 얘기했을지 다윗의 얼굴을 상상할 수 있다. 솔로몬의 두 손을 꼬옥 잡고, 지긋하고 엄숙한 눈빛으로, 간절한 마음으로 솔로몬에게 이야기하는 다윗의 모습을 그려보기만 해도 감동이 젖어 들어온다. 그렇다 사람들은 원리를 무시하고 기술만을 가르치고 기술만을 배우려고 한다.

미국에서 가장 존경 받는 대통령은 링컨이라고 한다. 그는 무엇이 옳고 무엇이 그른가를 알아볼 때는 성경에서 찾았다. 그는 신앙인으로서도 존경을 받지만 일반 대중에게도 상당한 영향력을 미쳤고 존경을 받았다. 그가 대통령에 당선되고 나서, 그와 가족들이 살던 스프링필드(Springfield)를 떠나 워싱턴 DC로 가야 했다. 링컨을 배웅하러 나온 사람들 천여 명이 기차역에서 기다리고 있었다. 오랜 이웃들과 헤어지며 행한 그의 고별연설은 듣는 이들로 하여금 가슴을 찡하게 만들었다.

"항상 저를 돌보아 주시는 하나님의 도움이 없다면 전 성공할 수 없습니다. 저는 하나님의 도움에 힘입어 성공할 수 있습니다. 하나님의 도움이 있다면 나는 실패할 수 없습니다. 나와 함께 하시고 여러분들과 함께 하시고, 또 선한 일을 위해 어디에나 계시는 하나님을 신뢰하며, 모든 것이 잘 될 것에 대해 확신하며 소망합시다."

링컨뿐만 아니라 미국의 역대 대통령들의 전기나 취임연설문을 보면 그들이 가장 중요시 여긴 것이 바로 다윗의 유언이 다시 미국 땅에서 이루어지도록 소망하는 것이다. 래리 키포버(Larry Keefauver)가 쓴 '풍요로운 미국을 만든 대통령의 기도' 라는 책은 한 마디로 다윗의 유언을 잘 이어받아 국가를 경영하겠다는 미국 대통령들의 결심을 보는 듯하다. 아래에 몇 사람의 기도 일부를 소개하고자 한다.

조지 워싱턴(George Washington)

"은혜로우신 하나님! 하나님께서 제게 주시는 소명을 들을 수 있게 하옵시고, 당신의 말씀을 경외함으로 듣고 온유함으로 받아들이며 여기에 믿음을 더하게 하셔서, 주께서 제게 맡겨주신 일들을 온전히 이룰 수 있도록 도와주시옵소서."

-미국 초대대통령, 매일 기도일기에서

토마스 제퍼슨(Thomas Jefferson)

"우리가 당신의 이름으로 정부 권력을 부여한 사람들에게 지혜의 영을 주셔서 이 나라에 정의와 평화가 있게 하시고, 당신의 규례를 따름으로써 이 땅 위의 모든 민족들 가운데 당신의 영광을 드러내는 나라가 되게 하소서. 번영의 시기에는 우리 마음을 감사로 가득 채우게 하시고, 어려울 때에도 당신을 향한 마음을 잃지 않게 하소서."

-미국 제3대 대통령, 평화를 위한 구국기도에서, 1805년 3월 4일

시어도어 루스벨트(Theodore Roosevelt)

"이 지구상에 우리들만큼 감사할 이유가 많은 국민은 없을 것입니다. 우리는 자신의 힘을 의지하는 교만한 마음에서가 아니라 우리에게 복을 내려주신 선하신 하나님께 대한 감사의 마음에서 이러한 말을 해왔습니다."

-제26대 대통령, 1905년 3월 4일, 대통령 취임연설 중에서

허버트 후버(Herbert Hoover)

"이 일은 미국 국민에 의해 행해질 수 있는 가장 신성한 선서의 실행일 뿐 아니라 우리 국민을 섬기는 최고의 직무에 대한 하나님 앞에서의 헌신과 봉헌 입니다. 전능하신 하나님의 인도하심을 통해서만 제가 계속 늘어나는 중대한 일들을 처리할 수 있다는 희망을 가질 수 있음을 겸손히 인정합니다."

-미국 제31대 대통령, 1929년 3월 4일, 대통령 취임연설 중에서

지미 카터(Jimmy Carter)

"저는 방금 그 옛날 미가 선지자가 말한바 영원한 교훈이 나오는 부분이 펼쳐진, 몇 년 전 제 어머니께서 주신 성경에 손을 얹고 대

통령 취임선서를 했습니다. '너 사람아, 무엇이 착한 일인지를 주께서 이미 말씀하셨다. 주께서 너에게 요구하시는 것이 무엇인지도 이미 말씀하셨다. 오로지 공의를 실천하며 인자를 사랑하며 겸손히 네 하나님과 함께 행하는 것이 아니냐!'"(미 6:8)

-미국 제39대 대통령, 1977년 1월 20일, 대통령 취임연설 중에서

remember 17

인생경영, 모든 것이 하나님의 것이다

국가경영, 테크닉보다 원리에 승부하라

국가 경영의 지도력은 궁극적으로 한 개인에게 종결된다. 대통령이라는 한 개인 지도자의 외적인 능력에, 또 그 능력은 성품에 귀결되는 것이다. 좋은 열매들은 좋은 가지가 있어야 되고, 좋은 가지는 좋은 나무가 있어야 된다. 좋은 나무는 튼튼한 뿌리가 있어야만 한다. 마찬가지로 위대한 대통령들의 위대한 업적은 실패를 딛고 일어서는 용기, 도덕적 정직성, 원수를 사랑할 만큼의 포용력, 진리를 생명같이 여기는 불굴의 의지력, 하나님의 눈으로 세상을 볼 수 있는 판단력 등에서 나왔고, 이러한 능력들은 그들의 훌륭한 인격과 성품에서 나왔으며, 고결한 인격과 성품은 신앙, 즉 하나님을 사랑하는 마음에 뿌리를 두고 있다.

다윗은 이 놀라운 국가경영 비밀을 이미 3천년 전에 깨달았고, 그 비밀을 아들 솔로몬에게 전수해 주었다. 그리고 그것은 지금으로부터 130여 년 전 링컨에게 이어졌다. 우리도 이러한 모델이 되는 대통령을 가져야 하지 않겠는가?

★

★

"주님, 우리 조상 아브라함과 이삭과 이스라엘의 하나님,
주님의 백성이 마음 가운데 품은 이러한 생각이 언제까지나 계속되도
록 지켜 주시고, 그들의 마음이 항상 주를 향하게 해주십시오. 또 나의
아들 솔로몬에게 온전한 마음을 주셔서, 주님의 계명과 법도와 율례를
지키고, 이 모든 일을 할 수 있게 하시며,
내가 준비한 것으로 성전을 건축하게 해주십시오."(대상 29:18~19)

"O LORD, God of our fathers Abraham, Isaac and Israel, keep this desire in the hearts of your people forever, and keep their hearts loyal to you. And give my son Solomon the wholehearted devotion to keep your commands, requirements and decrees and to do everything to build the palatial structure for which I have provided." (1 Chronicles 29:18~19)

★

★

David eighteen!

우리가 뽑아야 할 대통령은?

"너는 내 앞에서 네 아버지 다윗처럼 살아라.
그리하여 내가 네게 명한 것을 실천하고,
내가 네게 준 율례와 규례를 온전한 마음으로 올바르게 지켜라."

하나님께서도 솔로몬에게 직접 위와 같이 말씀하시면서 다윗을 따라 배울 것을 부탁하셨다(왕상 9:4, 대하 7:17). 다윗처럼 살라는 말은 무엇인가? 첫째는, 하나님 마음을 잘 헤아리고 철저히 따르라는 것이다. 순종이 제사보다 낫다는 말을 기억하라는 것이다. 둘째는, 무슨 일을 시작하든 하나님께 여쭤보라는 것이다. 다윗은 중요한 일을 시작할 때마다 거의 매사에 하나님의 사인(sign)을 기다렸다. 셋째는, 혹시 죄를 짓는 순간이 오면 다윗과 같이 즉시 회개하라는 말이다. 다윗은 죄를 지었지만 회개를 통해 그 죄를 극복한 자였다. 사람은 누구나 하나님 앞에서 실수할 수 있는 존재이다. 하나님께서는 완전한 자를 원하시는 것이 아니다. 만약 하나님께서 완전한 자를 원하셨다면, "다윗처럼 살지 말아라. 비록 그가 회개해서 내가 할 수 없이 용서해 주었지만 너는 그렇게 해서는 안 된다"라고 말씀하셔야 했다.

다윗은 40년의 임기 중에 1년 정도는 외도를 하였지만 대부분의 시간을 국정에 최선을 다하였다. 성경에 나타나지 않은 그의 업적들이 많이 있으나, 성경은 그것들보다는 그와 하나님과의 관계에 초점을 맞추다보니 업적이 덜 드러나 보인다. 그의 인생의 마지막 부분은 자식들의 문제로 인하여 비극적으로 보이기까지 한다. 그러나 국가적으로 본다면 다윗은 40년 기간을 성공적으로 마감하였다. 다윗의 재임기간 동안 국민들의 단합을 이끌어 냈고, 강대국으로 확고한 자리를 잡았고, 그 위세가 솔로몬 시대까지 이어지게 하였다.

이스라엘은 전통적으로 농업 지대였지만 지중해 연안까지의 영토 확장이 이루어져 무역의 발판을 마련했다. 이스라엘은 아시아, 유럽, 그리고 이집트 등 3개 대륙을 잇는 연결통로와 같은 곳이었다. 각국이 무역을 하는데 반드시 이스라엘을 통과해야만 했다. 예를 들어 페니키아에서 아라비아나 이집트와 무역을 하려면 이스라엘에 통과세를 내야만 했다. 또한 종속국에서 가져오는 공물 수입도 대단하였다. 농업과 무역을 통하여 국민들의 생활이 매우 높아졌음을 우리는 쉽게 예측할 수 있다. 이스라엘은 내무적으로는 행정체계를 형성했고, 외교적으로는 외국에서 선물을 들고 올 정도까지 이르렀으며, 막강한 군사력을 가지고 있었으며, 종교적으로 이스라엘 백성들의 나쁜 우상숭배의 옛 습관들이 없어졌다.

지금까지 다윗의 삶과 국가경영을 정리하면서 우리가 원하는 리더십은 과연 어떤 사람들이 담당해주어야 할까 하는 문제를 생각해보기로 하자.

세계관을 점검하라

백성들이 다윗을 따랐다는 의미는 다윗 당대에만 국한하는 것이 아니라 더 나아가 다윗 이후, 역사가 존재하는 한 후대의 모든 사람들도 다윗을 따르고 존경했다는 것이 중요하다. 그는 사람들이 따르며 존경한 진정한 대통령이었다. 그는 사람들의 절대적 지지를 얻어서 정치를 한 사람이었다. 군주적 독재를 자행하지 않았다. 도대체 사람들이 따랐던 이유가 무엇일까?

★ 리더십의 뿌리
-리더가 갖추어야 할 세계관

After God's Heart

하나님의 마음을 좇아라

다윗을 보며 지도력 원리를 정리해 보자. 첫째 되고 가장 중요한 것은 그의 지도력의 뿌리(Root of Leadership)였다. 흙에 덮여 보이지 않는 뿌리이지만 뿌리가 없다면 나무도 가지도 잎사귀도 열매도 없다. 나무 전반에 미치는 영향력이야말로 뿌리이다. 지도력도 마찬가지이다. 우리의 지도력의 뿌리를 이루는 것은 단 하나, 하나님의 마음을 좇는 것이다.

이 이상 중요한 것이 또 어디에 있겠는가? 우리의 판단의 기준은 "하나님이시라면 어떻게 하시겠느냐?"라는 것이다. 우리의 사고와 행동은 언제나 이유가 있다. 그것은 우리의 가슴 안에 심겨져 있다. 그 토대를 우리는 세계관 혹은 가치관이라고 말한다. 예를 들어, 미국의 링컨 대통령은 노예해방에 자기의 모든 것을 걸었다. 그는 선거유세에서도 자기의 주장으로 정치세계에서 사장되는 한이 있더라도 끝까지 진리와 정의를 위해 목숨을 바치겠다고 이야기했다. 그가 이렇게 부르짖은 이유는 어디에 있는가? 무엇이 그를 노예해방에 헌신하게 하였는가? 바로 그의 성경적 세계관에 기초하고 있기 때문이다. 하나님의 마음을 알았던 것이다. 하나님께서는 백인들이 누리는 삶과 자유와 행복을 흑인들도 동등하게 누리도록 만드셨다. 이 진리를 위해 7번이 아니라 70번 선거에서 패배한다 할지라도 계속 외치겠다는 것이다.

링컨이 위대한 대통령으로 평가 받은 이유는 바로 그의 뿌리인 하나님의 마음을 가지고 있었기 때문이다. 언제나 옳고 그름의 기준이 정치적 이해관계로 합리화되는 것이 아니라 성경에 있었기 때문에, 그는 올바른 결정을 할 수 있었고 올바른 길로 갈 수가 있었다. 지도자는 미래 후손들의 운명을 하나님께 위임 받은 자라는 소명 의식이 없으면 안 된다.

이와 같이 지도력의 뿌리가 역사 발전에 얼마나 중요한지 아무리 강조해도 지나치지 않다. 그래서 다윗이 몇 차례씩이나 솔로몬과 이스라엘 백성들에게 하나님의 명령을 지키고 하나님이 지시하는 길을 걸으라고 하는 이유가 바로 여기에 있는 것이다. 한 나라의 지도자로서 올바른 사상을 가지고 있는 것이 국가의 흥망을 결정하게 된다.

인간의 지혜에만 의존하는 지도자만큼 어리석은 사람이 없다. 당신의 지혜는 당신이 자라고 교육받고 독서하고 체험한 한계를 초과할 수 없다. 그럼에도 불구하고 남들보다 조금 더 똑똑하다고 자만

하며 자신하는가? 당신의 신념은 어디서 왔는가? 다른 건 다 양보할 수 있어도 하나님의 마음에 합한 것, 즉 옳고 국민들에게 궁극적으로 유익한 것은 목표를 이루도록 노력해야 한다. 지도자의 의지는 고집이 아닌 확신으로부터 나와야 한다.

지도자를 뽑을 때 판단의 기준은 성품이다

하나님의 마음을 따라 살아갔던 다윗에게는 극히 자연스럽게 지도력의 버팀목이 되는 나무(Tree of Leadership)가 만들어져 갔다. 그의 지도력의 버팀목에는 다음의 것들이 있다. 이러한 성품을 가진 사람은 누구나 대통령이 될 수 있는 지도자 감이다.

1. 마음(용기)을 잃지 말아라(Do not lose your heart).

사람들은 당신의 용기를 보고 따르게 된다. 두려움을 극복하는 것도 용기이다. 어려운 환경과 싸우는 것도 첨단 기술이나 막강한 장비로 싸우는 것이 아니라 바로 당신의 용기로 싸우는 것이다. 싸움은 마음에서부터 시작한다. 용기가 당신의 미래를 결정한다(삼상 17:32).

2. 인테그러티를 가져라(Integrity in your heart).

누군가 당신을 이야기할 때, 이 단어를 생각나게 만들라. 당신이 어느 대학을 나왔고, 어떤 집에서 살고 있으며, 어떤 사람들과 어울리는가가 중요하지 않다. 당신은 누구인가? 당신의 이름은 인테그러티(Integrity)가 되게 하라. 당신의 정직과 신실함을 보고 사람들이 따르게 하라(삼상 24:11~12).

3. 목자의 심정을 가져라(Shepherd in your heart).

선한 목자는 양을 위해 목숨을 바친다. 양들로부터 젖만 짜려고 하지 말고, 양들이 젖을 잘 내도록 풀밭을 제공하라. 그것이 당신이 할 일이다. 양들이 행복해 할 때 당신도 행복할 것이다. 당신이 영향력 있는 지도자가 되기를 원한다면 진심으로 사람들에게 관심과 사랑을 가져라(삼상 17:34~35, 삼하 5:2).

4. 마음을 불태워라(Fire in your heart).

당신 주위 사람들에게 불을 당기고 싶은가? 당신이 불이 되어야 한다. 어두운 곳을 비추고, 꺼져가는 사람들의 가슴에 다시 불을 지펴라. 당신이 있음으로 말미암아 사람들이 역동적으로 변할 것이다. 마음을 불태우지 않는 한 세상은 새로워 지지 않을 것이다. 새벽을 깨우는 것은 태양이 아니라 바로 당신 안에 있는 빛이다. 당신의 마음속에 있는 불로 사람들을 깨울 수 있다(시 57:7~11).

5. 마음에 바른 목적을 가져라(Pure motive in your heart).

사람들은 당신의 동기를 보지 못한다. 당신이 동기를 포장한 것만 바라볼 뿐이다. 그러므로 당신은 얼마든지 사람들을 속일 수 있다. 요리하고 싶은 대로 요리할 수 있다. 그러나 당신은 당신 속에 숨어 있는 당신의 목적을 알 것이다. 그 마음속의 동기를 분명히 하라. 불손한 동기로 하려거든 하지 않는 것이 차라리 낫다(삼하 24:10, 고전 4:5).

★ 리더십의 나무
-리더가 갖추어야 할 마음

Heart - 용기
Integrity - 인테그러티
Shepherd - 목자의 마음
Fire - 열정
Motive - 순수한 동기

다윗은 위의 5가지의 마음으로 인생을 살고, 대통령직을 수행했다. 여기 어디 새로운 것이 있는가? 가장 기본적인 것임에도 불구하고 사람들은 기본적인 것을 가장 나중으로 미룬다. 당신에게는 전혀 중요해 보이지 않을 수도 있다. 이런 것들은 실적과 거리가 멀어 보이기 때문이다. 눈에 나타나는 것들도 아니다. 그러나 이것이 없으면 당신은 반드시 정책 결정에서 오판할 것이라고 장담한다. 당장은 잘한 것 같아 보일지는 모르겠지만 시간이 흐르면서 사람들은 "그 사람 때문에 우리나라가 이 지경이 됐어"라고 말할 것이다.

뿌리와 나무는 올바른 방향을 결정해 준다. 곧게 뻗은 나무를 보

라. 좌로 치우치지도 않고, 우로 치우치지도 않는다. 나무는 하늘을 보고 뻗게 되어 있다. 방향만큼 중요한 것이 없다.

지도력은 마음이 정말 중요하다. 모든 일이 마음에서 시작하여 계획에 이르고 실행에 옮겨진다. 우리나라에서 다윗과 링컨의 후예를 들라면 도산 안창호 선생이 가장 가까운 인물이다. 안병욱 등이 쓴, '안창호 평전'에 소개된 안창호 선생의 너무나 소중한 말을 여기에 싣는다.

"그대는 나라를 사랑하는가.
그러면 먼저 그대가 건전한 인격이 되라.
백성의 질병과 고통을 어여삐 여기거든
그대가 먼저 의가 되라.
의사까지는 못 되더라도 그대의 병부터 고쳐서
건전한 사람이 되라."

도산이 강조하는 것 역시 지도력의 나무에 해당하는 마음이다. 위의 5가지로 정리된 지도력의 나무가 형성되지 않은 사람은 아무리 능력이 뛰어나다 할지라도 마치 다섯 조각의 널빤지로 구성된 나무 물통이 있는데, 가장 짧은 널빤지로 인하여 그 이상 물을 담을 수 없는 것과 같은 이치이다. 즉, 어느 한 가지 성품 요소가 모자라면 반드시 지도력의 한계가 존재하게 된다는 것이다. 예를 들어 순수하게 나아가려고 하지만 목자 심정이 부족하여 사람들과 분란이 생겨 원래 의도했던 것도 하지 못할 뿐만 아니라 인격에도 타격을 입게 되는 경우가 발생할 수 있다는 것이다.

인테그러티, 용기, 순수한 동기, 마음의 불, 그리고 목자의 심정. 이 5가지만 갖추고 있다면 민족의 지도자로 적극 추천해야 한다. 만약 당신 주변에 이런 사람을 찾는데 없다고 해서 실망하지 말라. 인물이 없는 것을 개탄하지 말라. 당신이 지금부터 준비하면 되니까. 당신은 훌륭한 지도자가 될 것이다.

지도자 능력 개발의 체크 리스트를 만들라

나무가 있으면 가지(branch)가 있어야 하는데, 가지는 바로 리더십 능력(leadership ability)이라고 말할 수 있다. 가지에는 어떤 것들이 있을지 한 번 생각해 보자. 이런 것들은 아마 너무나 많이 리더십 책에서 언급된 것들이다. 예를 들어, 긍정적으로 말하라, 자신감을 투시하라, 비전을 창출하라, 자기 표현력을 개발하라, 커뮤니케이션을 잘하라, 인간관계를 보물처럼 여겨라, 적절히 칭찬하라….

당신은 진짜 리더가 되고 싶으면 인위적이고 기술적인 것보다는 자연적이고 생명체적인 것에 당신의 에너지를 투자하라. 나무로 만들어지는 데는 10여 년 이상이 걸린다. 그러나 가지는 이보다 짧은 시간을 필요로 한다. 부실한 나무에 가지가 너무 많아 폭삭 주저앉고 마는 것보다 견실한 나무, 좋은 나무에 좋은 가지가 자라도록 하는 것이 훨씬 더 현명할 것이다. 당신은 지도력의 뿌리, 나무, 가지 중 어디에 투자하겠는가? 물론 이 세 가지 중에 어느 것 하나 중요하지 않은 것이 없다. 세 가지 모두 유기체적으로 연결되어 있는 것이지 따로 떼어 놓을 수가 없다. 하지만 시간이 오래 걸리는 것들이 있다. 그래서 어릴 때부터 올바른 전인교육을 받는 것은 너무나 중요하다.

지도력의 가지(Branch of Leadership)는 크게 세 종류의 가지가 있다. 먼저 자신을 위한 가지, 공동체를 위한 가지, 그리고 국가를 위한 가지로 구분하여 볼 수 있다. 물론 이 세 가지가 각각 분리되어 독립된 기능을 발휘하는 것은 아니다. 자신을 위한 것이 곧 공동체를 위하게 되고, 공동체를 위한 것이 결국 국가를 위한 것이 되기 때문이다. 때론 공동체와 국가 간의 분리가 불가능 할 수도 있다. 그러나 좀더 이해하기 쉽게 하기 위해 이렇게 나누어 보았다. 물론 이보다 더 많은 가지들을 발견할 수 있겠지만, 여기서는 다윗의 삶에서 보여준 것들만 간단히 정리해 보자.

★

자 신 을 위 한 지 도 력 가 지 들

1. 창조적인 지도자가 되려면 … 틀에 박힌 방식을 벗어 던져라

2. 진정한 국민 영웅이 되려면 … 전인교육으로 잠재력을 키워라

3. 진정한 리더가 되려면 … 상처치유, 상처관리에 승리하라

4. 소유욕을 버리는 인생이 되려면 … 모든 것이 내 것이 아님을 알라

5. 하나님의 도우심을 바라기 위해 … 절대로 혼자가 아님을 명심하라

★

공 동 체 를 위 한 지 도 력 가 지 들

1. 선거에서 승리하려면 … 예상을 초월하라

2. 권력 아부형이 아닌 순수 지도력을 발휘하려면 … 약한 자들과 함께 하라

3. 악순환 고리를 절단하려면 … 절대 복수하지 말라

4. 사람을 중요시하려면 … 보스가 되지 말라

5. 성공하는 후계자를 보려면 … 리더십 이양에 성공하라

6. 경영 감각을 키우려면 … 문제 예방에 주력하라

7. 예상하지 못한 어려움을 당하지 않으려면 … 미끼에 조심하라

8. 성숙한 지도자가 되려면 … 기다림을 즐겨라

★

국 가 를 위 한 지 도 력 가 지 들

1. 평화적 통일을 위해 … 때를 기다리는 통일정책을 써라

2. 정치의 폭을 넓히려면 … 적대 세력까지도 포용하라

3. 유혹을 사전 방지하려면 … 암세포를 경계하라

4. 자신의 역할에 충실하려면 … 다음 세대를 위한 발판 역할을 하라

5. 신속한 상황판단과 전략수립을 위해 … 순수 정보조직을 운영하라

6. 통합정치를 잘 하려면 … 지역주의를 주의하라

7. 흔들리지 않으려면 … 원리에 승부하라

8. 나라를 망하게 하지 않으려면 … 잘못을 깨닫는 즉시 돌이키라

9. 반발세력을 키우지 않으려면 … 측극정치에 예민하라

10. 국민의 조롱거리 안되려면 … 권력에 집착하지 말라

11. 희망 넘치는 국가를 위해 … 위기를 기회로 만들어라

12. 국가 공동체를 만들기 위해 … 국민 대동단결의 프로젝트를 수행하라

예수님께서 하신 비유의 말씀 중에 겨자씨의 비유가 있다. 4개의 공관복음서 중에 마태, 마가, 누가복음의 세 군데나 나올 정도로 너무나 중요한 진리이다.

"우리가 하나님의 나라를 어떻게 비길까? 또는 무슨 비유로 그것을 나타낼까? 겨자씨와 같으니, 그것은 땅에 심을 때에는 세상에 있는 어떤 씨보다도 더 작다. 그러나 심고 나면 자라서, 어떤 풀보다 더 큰 가지들을 뻗어, 공중의 새들이 그 그늘에 깃들 수 있게 된다."(막 4:30~32)

지도자는 바로 이래야 되는 것 아닌가 싶다. 겸손하게 작게 시작하였지만 공중의 새들이 가지들에 앉아 그늘에 깃들 수 있을 정도로 되는 것과 같이, 뭇 사람들이 가까이 다가와 흡족함을 느끼게 만들어 주는 그러한 지도자 말이다.

열매는 하나님이 주신다

그 다음은 열매(Fruits)이다. 이것은 당장 혹은 몇 년 후에 나타나는 결과들일 것이다. 정책을 결정하고 실행한 뒤에 나타나는 것들이다. 좋은 나무이면 좋은 열매를 맺게 되어 있다. 때가 되면 열매는 저절로 맺게 되어 있다. 그래서 조급한 정책 추진은 언제나 열매를 제대로 못 맺는다. 눈에 보이는 단기적 효과에 속지 말라. 우리로 하여금 눈속임일 뿐이다. 성공적인 겉모습에 속지 말라. 우리의 가슴에 허무만 부메랑 되어 날아올 것이다. 사람들을 모으려고 하는 지도력은 당신이 너무 지치고 피곤해진다. 자연적으로 사람들이 몰려오는, 사람들이 따르는, 사람들이 스스로 와서 함께 하자고 하는 지도력, 이것이야 말로 진정한 지도력이다.

remember 18

세계관은 역사를 바꾼다

지도자를 뽑을 때 판단 기준은 성품이다

지도자 능력 체크 리스트를 만들라

열매는 하나님이 주신다

역사적 대통령의 모본이 나오기를 기도하리

링컨 대통령은 노예해방을 선언했다. 흑인들이 노예 신분에서 벗어났을지는 모르지만, 여전히 인종차별은 근 100년에 가까울 정도로 계속되었고, 마틴 루터 킹 목사 때까지도 그것은 이어지고 있었다. 노예제도는 바울이 빌레몬서를 쓸 당시의 로마 사회에도 있었다. 빌레몬서는 오네시모(Onesimus)라는 노예를 가지고 있었던 부자 빌레몬(Philemon)에게 쓴 바울의 편지이다. 오네시모가 주인집에서 물건을 훔치고 도망을 쳐서 로마로 왔는데 거기서 바울을 만나 그리스도인이 되었다. 바울과 함께 있으면서 본인이 잘못한 것을 깨닫게 되었고, 오네시모는 죽더라도 주인에게 다시 돌아갈 것을 결심했다. 이때 바울은 오네시모 편에 빌레몬에게 편지를 썼는데, 상전과 노예관계를 떠나 예수 안에 한 형제니 오네시모를 용서하고 환영해 달라고 부탁했다.

예수님이 서로 사랑하라고 우리에게 그렇게 호소하고 가셨음에도 불구하고 인종차별 문제는 2천년 가까이 해결 보지 못한 것이다. 그러나 바울의 빌레몬서가 있었기에 노예도 똑 같은 인간으로서의 권리가 있다는 것을 알게 하였고, 링컨의 노예해방 선언이 있음으로 말미암아 킹 목사의 인종차별에 대한 비폭력 무저항 시위운동이 가능하였다. 오늘날 흑인과 백인들이 함께 버스를 탈 수 있게 된 것은 킹 목사의 열매이자 링컨 대통령의 열매이기도 하다. 이와 같이 본인이 죽은 뒤에도 열매는 맺히게 되어 있다. 올바른 일을 하느냐 하지 않느냐가 중요하다는 것을 보여주는 예라고 말할 수 있다.

예수님께서도 좋은 열매 맺는 비밀을 알려 주셨다. 바로 나무되시는 예수님께 붙어 있으면, 예수님의 가지되는 우리는 좋은 열매만을 맺을 수밖에 없다. 이 비밀은 우리의 모든 삶에 적용되는 것이지, 단순히 전도의 열매만을 말씀하시는 것이 아니다. 다윗이 40년의 대통령직을 수행하는 동안 몇 가지 실수한 것들을 보라. 모두 다

하나님의 마음을 읽지 못했을 때 벌어진 것들이다. 그것들을 제외하고는 그는 너무나 완전하게 성공적으로 그의 직무를 다했다.

역사적 대통령의 모본이 나오기를 기도하라

이스라엘 백성에게 있어서, 다윗은 모든 왕들의 평가 기준이 되었다. 역대 왕들의 평가를 할 때마다 등장하는 사람이 있으니 바로 다윗의 이름이다. 좋은 평가를 받은 왕들은 "그 조상 다윗과 같이", "그 조상 다윗의 모든 행위와 같이", "그 조상 다윗의 모든 길로 행하고" 등 이렇게 시작하였고, 반대로 나쁜 평가를 받은 왕들은 "그 조상 다윗과는 같지 아니 하였으며" 혹은 "그의 조상 다윗만큼은 하지 못하였고" 등의 말로 평가를 시작한다. 한 마디로 다윗이 모든 업적의 기준이었다. 다윗이 죽은 뒤 330년 뒤에 요시야(Josiah) 왕이라고 있었는데, 요시야 왕에 대한 평가는 이렇게 되어 있다(왕하 22:2).

"요시야는 하나님 보시기에 정직히 행하여, 그 조상 다윗의 모든 길로 행하고, 좌우로 치우치지 아니하였더라."

우리나라도 앞으로 대통령을 평가할 때, "OOO 대통령과 같이" 혹은 "OOO 대통령과 같지 아니하였으며"라는 이런 기준이 되는 대통령이 반드시 나올 것이다. 지금이라도 가능한 이야기이다. 다만 다윗과 같은 인생경영과 국가경영을 하기로 결심하면 되는 것이다.

국가의 지도자가 어떤 국책과제를 추진할 때 여론 지지율이 50%만 되어도 아주 높은 것이다. 다윗은 어느 정도의 지지를 얻었을까? 40년 동안의 재위기간 동안 늘 그런 것은 아니었겠지만 거의 대부분 엄청난 지지율을 얻은 것은 분명하다(삼하 3:36). 다윗왕이 무엇을 하든지 온 백성이 마음에 좋게 받아들였다고 한다. 이것은 백성들이 어떤 일을 하더라도 다윗을 신뢰했다는 것이다.

우리나라도 이러한 평가의 기준이 되는 대통령이 나올 가능성이 점점 커지고 있다. 우리가 다윗과 같은 사람을 대통령으로 뽑으면 된다. 나라의 운명은 대통령에게 달려있기 이전에 우리, 아니 나 개인에게 달려있다는 말이 더 맞는 말일 것이다. 먼 훗날 내 자녀들과 대통령 묘지에 참배하러 가면, 그 비문에 이런 글이 쓰여 있을 것이다. '이때 나는 그 대통령의 인생을 내 자녀에게 이야기해 주고 싶다. 내 손자에게도 이야기해 주고 싶고….'

"○○○대통령은 하나님 보시기에 정직히 행하여, 그 조상 ○○○ 대통령의 모든 길로 행하고, 좌우로 치우치지 아니하였더라"

★

★

"나는 포도나무요, 너희는 가지다. 사람이 내 안에 머물러 있고,
내가 그 사람 안에 머물러 있으면, 그는 많은 열매를 맺는다.
너희는 나를 떠나서는 아무것도 할 수 없다."(요 15:5)

"I am the vine; you are the branches. If a man remains in me and I in him, he will bear much fruit; apart from me you can do nothing." (John 15:5)

★

★

★ 글을 마치면서

대한민국을 위해 기도하면서 우리도 다윗과 같은 대통령이 있으면 좋겠다는 소원을 갖기 시작했고, 그와 관련된 서적을 찾아보았지만 허사였다. 성경인물을 중심으로 한 리더십 책이 그렇게 많이 나왔음에도 불구하고 유독 다윗의 삶과 리더십에 대해서는 너무나 부족했다. 성경인물 중 유일하게 "하나님의 마음에 합한 사람"이라고 불렸음에도 불구하고 참으로 의외였다.

한국을 놓고 기도하면 할수록 다윗이 나의 마음과 머리에서 떠나지를 않았다. 그래서 혼자 국가수반인 다윗에 대한 리더십을 연구하기 시작했다. 너무나 커다란 은혜의 시간이었고 놀라운 리더십의 비밀을 깨우치게 되었다. 그 동안 경영자로서의 위치에서 일을 해오면서 하나님께서 주셨던 지혜의 조각들이 모아졌고, 이제 한 폭의 그림이 그려진 것을 발견하게 되었으며, 내 삶의 원리로 자리 잡게 되었다. 이 책은 누구보다도 나 자신을 위해서 쓰여졌다.

이 책이 나오기까지는 수많은 사람의 기도와 조언이 필요했다. 늘 가까이에서 자문을 해주신 임마누엘침례교회의 한충호 목사님과 미주 피터스하우스의 한순진 목사님, 함께 사역하며 기도와 원고검토를 열심히 해준 박혜진, 이지은 자매와 이정희, 이태실 집사님, 황시엽 장로님, 책을 출간하는데 도와주신 서동민 장로님, 그리고 Dawn Mission의 모든 이사님들께 진심 어린 감사를 드린다. 마지막으로, 옆에서 늘 격려를 아끼지 않은 아내와 딸에게 사랑과 감사를 전한다.

참고문헌

1. 척 스미스, 사무엘상하, 포도원, 1998
2. 찰스 스윈돌, 다윗 : 뜨거운 가슴과 한결 같은 마음을 가진 사람
   생명의말씀사, 1999
3. 앨런 액슬로드, 불굴의 CEO 루즈벨트 : 두려움은 없다, 한스미디어, 2004
4. 이지선, 지선아 사랑해 : 희망과 용기의 꽃 이지선 이야기, 이레, 2003
5. 안병욱 등, 안창호평전, 청포도, 2004
6. 더그 위드, 대통령의 자식들, 중심, 2004
7. 스티븐 맨스필드, 윈스턴 처칠의 리더십, 청우, 2003
8. 래리 키포버, 풍요로운 미국을 만든 대통령의 기도, 토기장이, 2004
9. 데이빗 거겐, CEO대통령의 7가지 리더십, 스테디북, 2002
10. Charles Warren, Warren' s Shaft
    http://www.bibleplaces.com/warrenshaft.htm
11. 레온 우드, 이스라엘의 통일왕국사, 기독교문서선교회, 1994
12. 윌리암 라이딩, 스튜어트 맥키버, 위대한 대통령 끔찍한 대통령,
    한언, 2000
13. 클레이본 카슨, 나에게는 꿈이 있습니다, 마틴 루터 킹 자서전,
    바다출판사, 2001
14. Nelson Mandela, Long Walk to Freedom :
    The Autobiography of Nelson Mandela, Back Bay Books, 1995
15. 진 에드워드, 세 왕 이야기, 예수전도단, 2004
16. 전 광, 백악관을 기도실로 만든 링컨, 생명의말씀사, 2004
17. 리콴유, 내가 걸어온 일류국가의 길, 문학사상사, 2001

부록 : 다윗시대의 성경연대

1050 BC	사울 왕국 시작 (삼상 10:24)
1040	다윗 출생
1025	사무엘을 통해 기름부음 받음 (삼상 16:13)
1020	다윗과 골리앗 (삼상 17:32~49)
1015(?)	다윗의 블레셋 망명
1010	사울의 전사 (삼상 31:6, 대상 10:6) 다윗의 등극 (삼하 2:4, 대상 11:3) 언약궤 예루살렘으로 이전 (삼하 6:16~17, 대상 15:29)
991	다윗의 범죄 (삼하 11:1~21)
990	솔로몬의 출생 (삼하 12:24)
979	압살롬의 반란 (삼하 15:10~12)
973	블레셋의 침입 (대상 20:4), 다윗의 인구조사 (삼하 24:1~7, 대상 21:1)
970	다윗의 죽음 (왕상 2:10, 대상 28:11~21), 솔로몬의 등극 (왕상 2:12)

피터스하우스(Peter' s House)는
21세기 토탈(Total)문화선교의 대명사입니다.

피터스하우스(베드로서원)의 사역원리

Pastoral Ministry(목회적인 사역)
Educational Ministry(교육적인 사역)
Technological Ministry(과학기술적인 사역)
Evangelical Ministry(복음적인 사역)
Revival Ministry(부흥적인 사역)
Situational Ministry(상황적인 사역)

피터스하우스는 21세기 토탈(종합)문화선교의 대명사입니다.
변화되는 세상 속에서 복음은 변할 수 없습니다.
그러나 복음을 전하는 방법은 달라져야 합니다.
피터스하우스는 시대에 맞는 옷을 입고 '문화' 라는 도구로
복음을 전하는 종합문화선교기관입니다.
우리는 예수 그리스도께서 몸버려 피흘리사 그 값으로 교회를 세우신
그 귀한 사역을 계속 이어나가고자 합니다.
그리하여 이 땅 위의 교회들이 반석 위에 굳건히 세워지고
복음이 전파되는 그 귀한 사명을 끝까지 감당해 나갈 것입니다.

다윗 대통령

초판 1쇄 발행일 2005년 4월 15일
초판 2쇄 발행일 2005년 4월 30일

지은이 | 최광식
발행처 | 베드로서원
발행인 | 한용석
주 간 | 한순진

등록번호 : 제14-66호 · 등록일자 : 1988. 6. 3

서울시 마포구 서교동 394-68 · 우편번호 121-840
Tel. 02)333-7316, Fax. 333-7317
E-mail : peter050@kornet.net

피터스하우스는 기독교문화 창달을 위해 좋은 책 만들기에 힘쓰고 있습니다.
*파본 및 잘못된 책은 바꾸어 드립니다.

ISBN 89-7419-207-1

값 9,000원

미주사역

PETER' S HOUSE (원장 한순진)
13429 1/2 Pumice St. Norwalk, CA 90650
☎ (562)483-1711, Cell. (714)350-4211
E-mail : petershouse@dxnet.com